JN008567

盾と矛

2030年大失業時代に備える「学び直し」の新常識

ロバート・フェルドマン
加藤 晃

幻冬舎

カバーデザイン　秦浩司
DTP・図版　美創
編集協力　本郷明美

はじめに
大失業時代、学び続けない者は生き残れない

2030年までに1600万人が職を失う

経営コンサルティング会社のマッキンゼー・アンド・カンパニーは、2030年までに日本だけでも1600万人が職を失う一方、技術進歩など環境の変化に対応できる1000万～1100万人は新しく生まれる職に就くニーズがあると予測しています。

つまり、あなたが現在就いている職業がもし消える運命だとしても、必要な知識、スキルさえあれば、新たな職業に就ける可能性も十分あるということです。

これまで頭を使うとされてきた業務でも、**繰り返し的（ルーティン）な性格の強い業務は消え去る**側に分類されます（図表1）。事業・雇用環境の変化に対応するには、必要な知識やスキルのアップデートが不可欠です。映画「ラスト サムライ」ならぬ、「ラスト サラリーマン」になりたくなければ、学び直しが必要です。そうした学び直しを「リカレ

図表1　DXが進むと私たちの仕事はどう変化する?

●繰り返す仕事は危ない

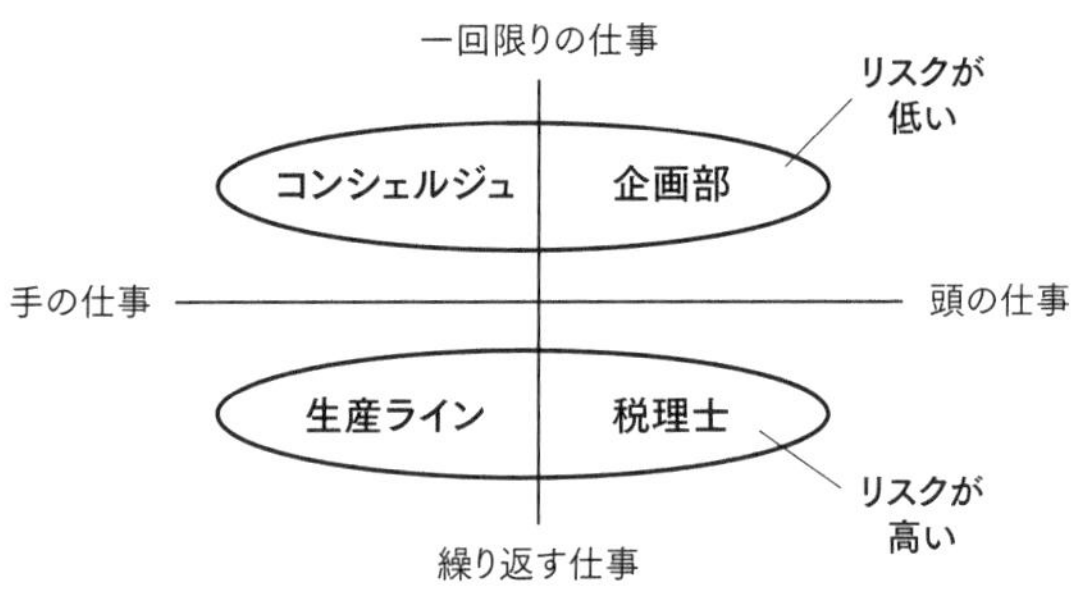

参考：モルガン・スタンレー・リサーチ（「Japan Blue Paper Revisit：新リーダーの下、生産性とROE改善に向けた日本の歩みは前途多難ながらも続く」、p.97～98、2020年9月24日、Jonathan Garmer他）

●日本の職業構造はどう変わる?

2019年の就業者	就業者数（百万人）	就業者シェア	職を失う恐れのある割合（%、基本ケース）	職を失う恐れのある人数（百万人）	推計雇用破壊（基本ケースの半分）
総数	67.2	100%	46%	31.2	15.6
管理的職業従事者	1.3	2%	40%	0.5	0.3
専門的・技術的職業従事者	11.7	17%	20%	2.3	1.2
事務従事者	13.2	20%	60%	7.9	4.0
販売従事者	8.6	13%	70%	6.0	3.0
サービス職業従事者	8.5	13%	70%	6.0	3.0
保安職業従事者	1.3	2%	50%	0.7	0.3
農林漁業従事者	2.2	3%	20%	0.4	0.2
生産工程従事者	9.1	13%	40%	3.6	1.8
輸送・機械運転従事者	2.2	3%	40%	0.9	0.4
建設・採掘従事者	2.9	4%	30%	0.9	0.4
運搬・清掃・包装等従事者	4.9	7%	40%	2.0	1.0
上記以外	1.3	3%	—	—	—

出所：総務省「令和元年労働力調査年報」、I-A-第7表から筆者作成
https://www.stat.go.jp/data/roudou/report/2019/index.html

ント教育」と言います。

ちなみに、英語のrecurrentには「習慣性」という意味もあります。特に、人生100年時代になると、公的年金額は減り、就労年数はさらに延びます。常に学び直す習慣を身につけないと、**サバイバルできない世界になる**のです。

筆者の二人、ロバート・フェルドマンと加藤晃は、東京理科大学大学院経営学研究科の技術経営専攻（以下「MOT」、Management of Technologyの略）において、社会人学生を対象に教鞭をとっています。まさに、「学び直し」の最前線で教えていると言っていいでしょう。東京理科大学のMOTは、将来のCEO・COO・CTOなどのCXO（経営幹部）およびアントレプレナー（起業家）の育成をミッションとしているビジネススクールです。といっても、本書には小難しい理論や数式は出てきません。

本書は、すべてのビジネスパーソンに気軽にお読みいただきたい、「学び直し」の新常識についての、私たちからの提案となっています。

「学び直し」に失敗した父親

筆者（フェルドマン）の父親は、かなり優秀な化学者だったようですが、「学び直し」

に失敗した一人ではないかと思っています。父は化学分野で修士号を取っていたため、第二次世界大戦中に徴兵されたものの、配属された部隊とともに欧州戦域には行かず、国立研究所に配属されました。彼は素晴らしい研究成果を上げ、研究所長に好かれ、高く評価されたようです。

所長は、「お前は博士の器だ。研究所が費用を出すから、働きながら隣の州立大学に博士号を取りに行ってはどうか」と勧めてくれました。しかし父は、「いや、良い研究は博士号がなくてもできます。しかも、子供がすでに4人もいます。行かない方がいい」と断ったそうです。

その後、父の身に何が起きたでしょうか。20年後の直属の上司は、父をあまり評価せず、降格してしまったのです。降格されたものの、博士号がないため、他の研究所あるいは大学へ移ることができませんでした。研究所の仕事は続けられたのですが、次第にやる気を失い、体調を崩して退職。1990年に70歳で他界してしまいました。

葬儀が終わった後、元研究所長と話す機会がありました。とにかく科学を進歩させたいと考えていた元所長は、暗然とした顔で言ったのです。

「君のお父さんは、**潜在能力を発揮する**ことができませんでしたね」

胸が痛みましたが、その通りだと認めざるをえませんでした。もし父があの時、研究所長の勧めに従って学び直しをしていれば、人生はよりハッピーになり、科学の進歩にもさらに貢献できたはずです。

筆者にとっては、これが大きな人生の教訓です。「学び直し」をすれば、人生の選択肢が増えるだけではなく、状況が悪い方向に転換する時でも「脱出」ができます。

これからは、万物流転の時代になると予想されます。学び直しは万物流転の「盾」でもあり「矛」でもある、ということです。

大きな転換は寿命の延長であり、学び直しを続けるものにとってはピンチではなく、むしろチャンスにもなりうると考えます。

盾（守り）と矛（攻め）は進化し続ける。どう取り入れるのか

本書のタイトルは、『盾と矛』です。中国の『三国志』に登場する、関羽や張飛が使っていた武具を思い出していただくとよいでしょう。「盾」は、**剣・槍による打撃、弓矢による射撃から身を守る防具**です。「矛」は、剣に長柄をつけた武器です。

武力も暴力も、もちろんビジネスでは使いませんが、「盾」と「矛」を比喩としてビジ

ネスパーソンのキャリア形成について考えてみましょう。

敵が鈍器を使って攻撃してくる場合、「盾」には鉄や銅など強度のある素材が求められました。しかし、こうした素材でできた堅牢な盾は重く、俊敏な動きができません。そこで研究開発によって、盾の素材も変化し続けています。例えば、現代の警察はジュラルミンやポリカーボネート製の盾を装備しています。また米軍はすでに次世代の盾を、鉄より軽くて強い素材（人工クモ糸）で作ろうとしています。

次に「矛」、つまり実戦における武器は、技術が進歩することで鈍器が刀・槍になり、弓は鉄砲になり、近年ではドローンも使われるようになりました。砲弾がレーザー光線に取って代わる日もそう遠くはないでしょう。

すなわち、技術進歩が戦い方に影響を与え、盾・矛とも相互に進化してきたのです。

ビジネスにおける、守りと攻めも同じです。

「盾」は、つまり「守りに不可欠な知識・スキル」です。盾がなければ、弱点を晒(さら)すことでビジネス上の競争に敗れ、降格・左遷、悪くすれば失職してしまうかもしれません。すなわち、**ライバルなどからの攻撃に耐える十分な強度を持ち、弱みを克服する**必要があります。

「矛」は、「勝ち残りに必要な知識・スキル」です。技術革新は自分のビジネスを守る盾であり、競争相手の市場シェアを奪う矛にもなります。

小売業が良い例です。ＩＴは、在庫管理を効率化する盾であり、電子取引によって市場シェアを拡大する矛にもなります。

しかし、こうした技術の進歩だけに頼っていてはいけません。最新技術の影響力を最大化できるように、組織も再編成する必要があります。織田信長が長篠の戦で勝利した理由、プロイセンがケーニヒグレーツの戦で勝利した理由は、より性能の良い鉄砲を持っただけではなく、保有する**鉄砲をうまく運用できる組織形態・作戦を開発した**からです。

ビジネスにおいても、技術進歩に合う組織形態、戦略を展開できれば、有利に競争を運べるようになります。つまり、進歩した技術をうまく活用するための社員の訓練、「学び直し」が重要な経営課題なのです。


今後やってくる大失業時代、「万物流転」の時代をいかに生き抜くのか。そのためには「学び直し」が必須であると断言できます。現在進行中の技術進歩や社会変化を、ビジネスパーソンとしてどう捉えるかが本書のテーマです。

１章「人生１００年時代と『一所懸命モデル』の崩壊」では、私たちを取り巻く社会がいったいどのように変化しつつあるのか、そして私たちは何をする必要があるのかという大前提を知りましょう。２〜７章では、ＡＩ（Artificial Intelligence）、ＤＸ（デジタルトランスフォーメーション）、データの捉え方、エネルギー革命など、**現代を生きるビジネスパーソンとして必要なテーマ**について学びます。

また、筆者による居酒屋談義のライブ動画（ＱＲコード）をお楽しみ下さい。

〈紙上ライブ講義〉

模擬授業／プチ講義

「神楽居酒屋」談義

「悟来逆算」

「サブスクリプション」

「技術と雇用」

「クリックサイクル」

盾と矛 ２０３０年大失業時代に備える「学び直し」の新常識

目次

2章 AIとDXを自分の言葉で語れるようになろう

3章 DXの本質は、ビジネスモデルの変革 061

4章 最も弱いスキルを鍛えない限り、成長はない

5章 データを正しく解釈しよう 新型コロナと日本人

6章 エネルギー革命と成長する企業の決断

7章　投資家が重視する「サステナブルファイナンス」とは

おわりに
自己実現への道しるべ　206

1章

人生100年時代と「一所懸命モデル」の崩壊

図表2　平均寿命等の推移

和暦	男		女	
	寿命中位数	平均寿命	寿命中位数	平均寿命
昭和22年	59.28	50.06	64.45	53.96
50	75.31	71.73	80.17	76.89
60	78.06	74.78	83.38	80.48
平成2年	79.13	75.92	84.71	81.90
22	82.60	79.55	89.17	86.30
27	83.76	80.75	89.79	86.99
30	84.23	81.25	90.11	87.32
令和元年	**84.36**	81.41	**90.24**	87.45

出所：厚生労働省「令和元年簡易生命表」より作成

人生100年時代は大変だ!?

「人生100年時代」と言われています。時代劇に出てくる織田信長は、「人間五十年、下天の内をくらぶれば、夢幻の如くなり」と謡（うた）いながら、「敦盛」を舞っています。人間の一生はせいぜい50年で儚いということです。戦国時代に生きた信長が、本当にそのように言ったのか筆者にはわかりませんが、図表2をご覧ください。

1947（昭和22）年の平均寿命を見ると、男性50歳、女性は54歳です。ほんの七十数年前は、まさに人生50年の世界でした。それが経済成長と健康保険制度によって、2019（令和元）年には男性81歳、女性は87歳まで延びています。寿命中位数は、男性84歳、女性90歳、**寿命の最頻値は、男性88歳、女性は92歳**です。

もちろん個別にはもっと長生きする人もおり、100歳まで生きる確率は、男性1・6％、女性6・7％です。現在30歳代、40歳代の読者の方が、高年齢者雇用安定法が求める努力義務の定年を迎える頃にはもっと高くなっていることでしょう。私たちは、これまで誰も体験したことのない人生100年時代に生きているのです。

一所懸命働けば、定年まで何とかなる

雇用保障（終身雇用）と年功賃金（年功序列型組織）は日本的経営の象徴のように言われていますが、実は第二次世界大戦後にできたシステムです。それは、大量生産を前提とした昭和の経済成長を支えた成功モデルであり、「基幹的な熟練労働力に対しては、長期の勤続を奨励するような賃金・賞与制度を導入することで彼らを企業内に確保しようとしたのです。その技能の習得期間は長期化していたから、その限りでは年功は技術の向上にもある程度見合った合理性を持っていた」（鈴木良隆ほか『ビジネスの歴史』有斐閣、2004年）のです。すなわち、**熟練工の労働力不足が終身雇用制度の原点**です。こうした新卒者を採用して現場で育てるOJTを、経済学（取引コスト理論）的に考えてみましょう。企業による従業員への教育は「特殊的投資」であり、特に社内や系列内における開

発・製造過程で摺り合わせが必要な産業において、有効に機能したのだと思われます。そうした知識・スキルが企業に特化すればするほど、外部では有効活用しがたくなります。意図的だったかどうかは別にして、労働市場における移動を避ける仕組みとしても機能したと言えそうです。

ところで、「終身雇用」という用語がしばしば使われますが、よく考えるとおかしな言葉だと思いませんか。素直に解釈すれば、業務に差し支えがない限り、年齢の制限なく雇用を継続するという意味のはずです。ですから、日本の事情をよくわからない外国人が、「日本の会社は、従業員と終身雇用契約を締結しているのかと思った」との笑い話があります。実際には、正社員に対して、定められた退職年齢までは余程のことがない限り解雇しない、という暗黙の労使合意・慣行に過ぎません。その背景には、**解雇に厳しい日本の労働法**があります。

もう一つ指摘しなければならないのは大学教育です。最近はやや崩れてきましたが、企業は従業員の新卒一括採用を中心に採用活動を行ってきました。その際、何を勉強してきたか（専攻）よりも、どの大学を卒業したか（ブランド、偏差値）を重視した採用が長らく行われてきました。換言すれば、仕事ですぐに使える知識よりも、受験戦争を勝ち抜いた潜在的能力に期待したゼネラリスト採用です。

図表3　業務遂行能力と収入の関係イメージ図

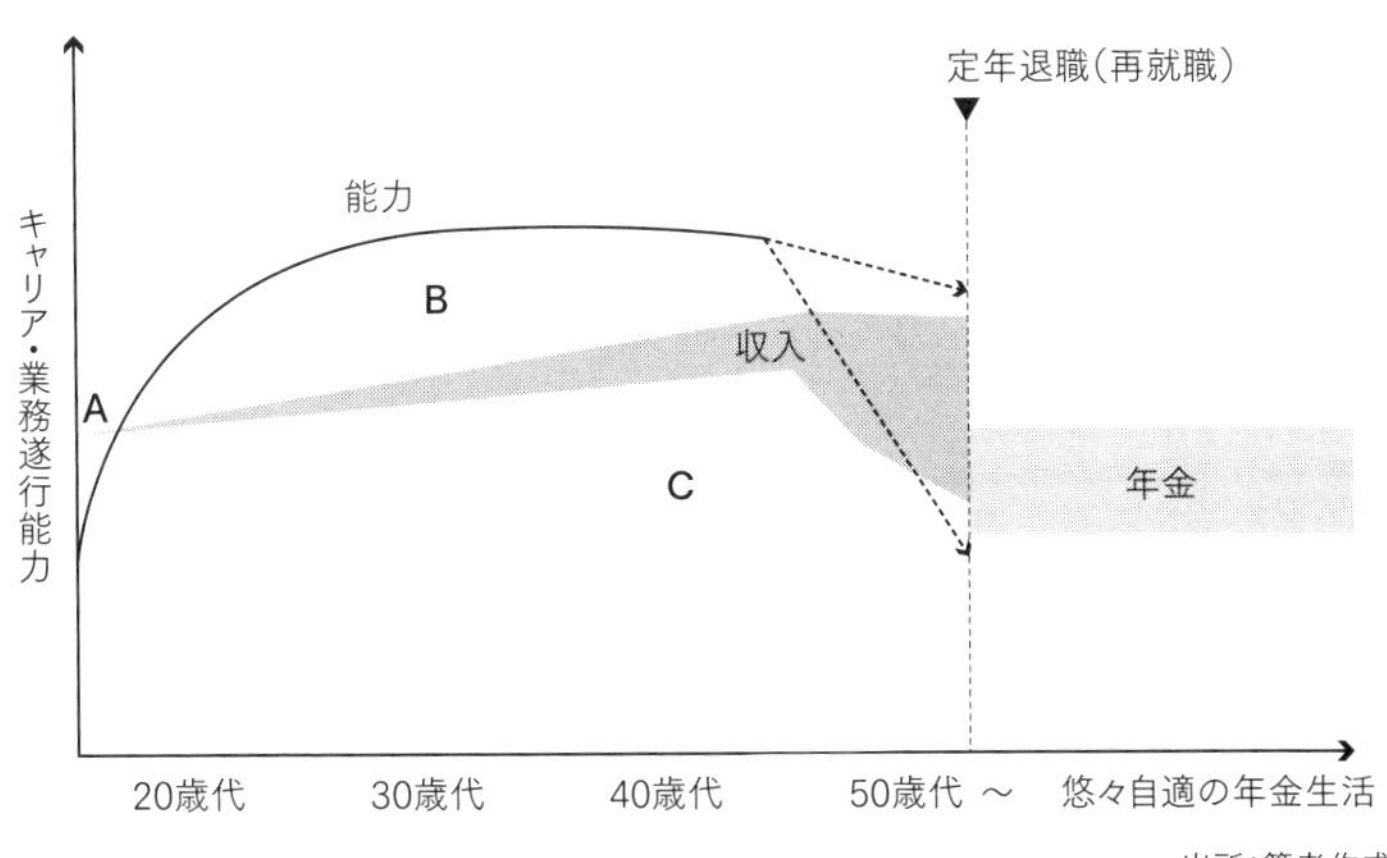

出所：筆者作成

実際の業務に必要な知識やスキルは、入社後に社内研修（ＯＪＴを含む）で習得させればよいと考えていました。定年までの雇用が保障されるのだから、従業員はそれなりに頑張るであろうとの期待、また定年まで在職するとの前提なので、教育トレーニングは無駄な投資にはならないとの判断があったのです。実際、社員からすると、一度獲得した知識と経験は、長く勤務して役職が上がっても通用するものであり、むしろ**経験という無形資産**と考えられていました。商品ライフサイクルが長く、大量生産・大量消費の時代には、あながち間違いとは言えないと思います。以上は、第二次産業革命、せいぜい第三次産業革命黎明期までの話です。図表3をご覧ください。

大学を卒業して就職します。業界・業務に関する業務遂行能力（縦軸）は問われないので、縦軸の交点のレベルです。業務遂行能力は、社内教育によって右上方に弧を描いて徐々に上がっていきます。

最初の数年間は、一般的には十分な戦力にはならないので、収入が能力を上回る「A領域」です。そして獲得した知識・能力に基づいて業務を遂行することで業績を上げます。業務遂行能力が収入を上回る「B領域」になります。一方、「C領域」は定期昇給にパフォーマンスが追い付かない状況ということになるので、一般的には無縁な世界だと思います。

30歳前後になると第一次選抜があり、昇進具合によって収入に差が出てきますが、それほど大きな違いではありません。管理職になると、経験を活かした部下の指導が期待されます。そして体力的に限界が見えてくる頃に管理職定年を迎え、後輩にポジションを譲ります。会社によりますが、管理職手当などがなくなり、収入がダウンします。あるいは、嘱託という地位になりますが、雇用は定年まで維持されます。

定年退職の際には退職金がもらえることが多いと思います。税制上の優遇もあり、再就職する人もいるでしょう。厚生年金に加えて、会社によっては企業年金制度があり、**悠々自適の年金生活**が待っています。一つの会社で頑張る、典型的な「一所懸命モデル」です。

図表4　第四次産業革命下の業務遂行能力／所得の関係

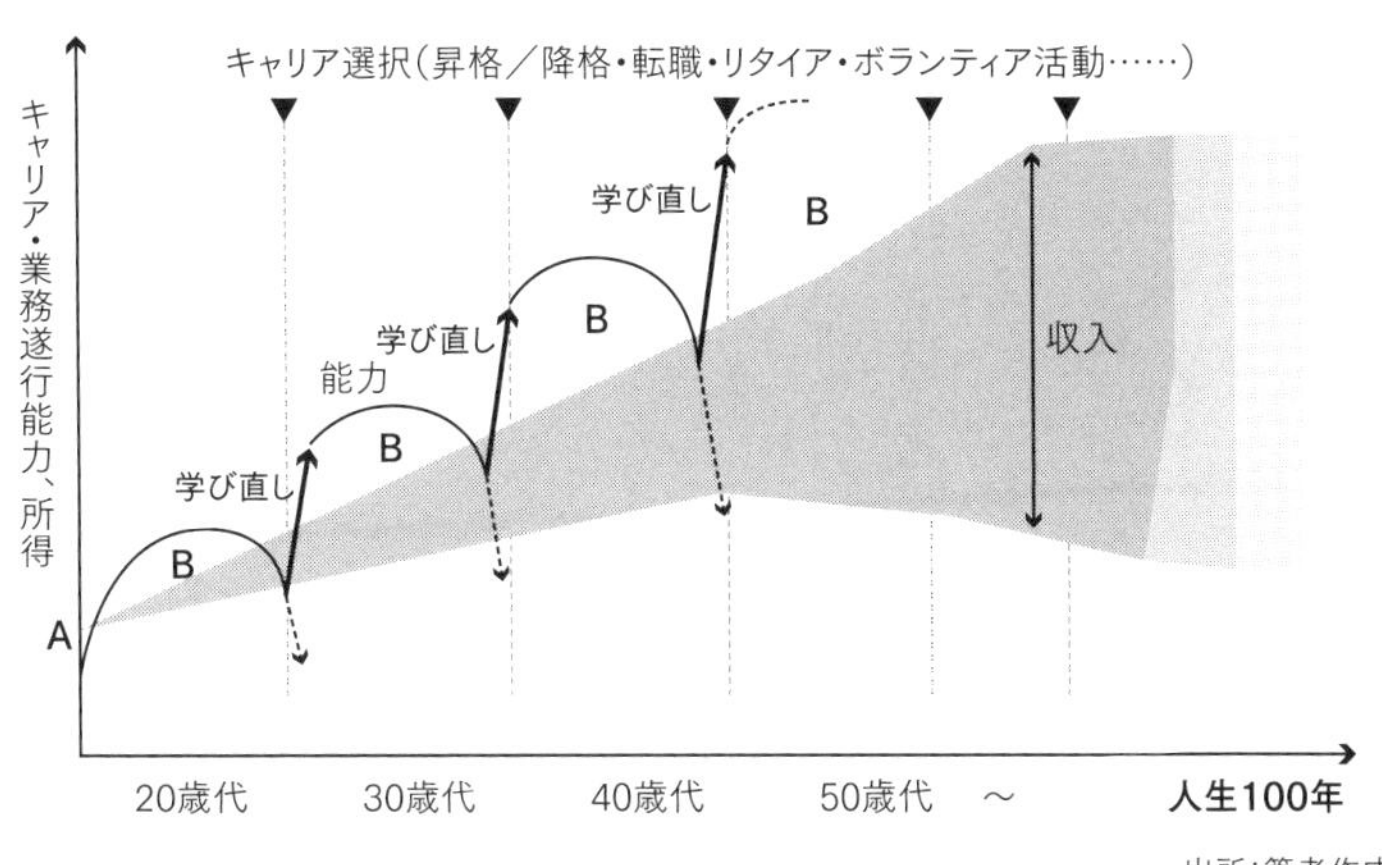

出所：筆者作成

人生の転機は少なく、単線的と言えるかもしれません。

働かないおじさんを雇っている余裕はありません

ところが、第三次産業革命、グローバル化の進展、さらに昨今言われる第四次産業革命になると、一所懸命モデルは機能しづらくなると考えています。図表4をご覧ください。

その理由は、新しい技術の開発、人々の価値観の変化の前に、学校で学んだ知識、**社内教育で習得した知識・スキル（関係特殊的資産）の賞味期限**は短くなり、能力が幅の狭い弧を描いて下がってしまうからです。

グローバル競争に晒（さら）される企業は、業務遂行能力の低下した社員に高い給料を払い続けることはできません。労働分配率を考えれば、年齢を問わず優秀な人により多く払わなければ、**優秀な社員ほど辞めてしまい競争力が低下してしまう**からです。第二新卒などからすでに始まっていますが、労働市場はさらに流動化すると思われます。

第三次、さらに第四次産業革命下では、採用時において何を専攻してきたか、より専門性が問われるようになるでしょう。なぜなら、2章で詳述しますが、AIやDXといった進化する技術が経営の業績・競争力を左右するからです。したがって、収入が業務遂行能力を上回る「A領域」の期間は短く、かつ優秀な人材は奪い合いになるので、企業としては高い給与を提示する必要があります。

ライバルは日本人だけではありません。最近、日系企業もようやくそうした実態・ニーズに対応する雇用制度を導入し始めました。もちろん、一定の要件をクリアーできなければ減給や降格の対象となります。条件によっては、雇用が継続されないこともあるでしょう。Pay for Performanceであれば、不思議なことではありません。考えてみれば、科学技術が急速に進歩し、人々の価値観も変化しつつある現代社会では、10年前、20年前に大学で4年間学んだだけで、一生通用するというのは無理なことのように思えます。

それではどうしたら良いでしょうか。業務遂行能力の維持・向上が求められる中、答えは「学び直し（リカレント教育）」以外にないと思います。それが、図表4の中で下がってしまっている弧から上に伸びる太い矢印です。「学び直し」によって、キャリア・業務遂行能力は短い期間で急上昇しています。

ライフスタイル、ライフサイクルは人それぞれです。長い職業人生の中で、一度と言わず、二度、三度の学び直しは新常識になりつつあると考えています。学び直すことで、社内での昇進や転職など、人生の転機におけるキャリア交渉力が確実に高まります。しかも国内で学び直しをすれば、海外留学のように収入が途絶えることはありません。

筆者の一人（加藤）が、長く人事・教育に携わってきた役員の方とキャリアについて雑談をしていた時のことです。その役員の方は、こうおっしゃっていました。

「適材適所という言葉がありますが、苦労して適性を探して配置するのですが、はかばかしい業績が出ない人は、次の部署でも同じ傾向が見られます。一方、活躍している人は、あえて少し畑違いの部署に異動させても、独自に勉強して工夫しながら立派な業績を出します。最近、**人事のキーワードは再現性ではないか**と思っています」

それではどうすれば再現性を担保することができるのでしょうか。再現性とは企業にとっては指示した仕事の成果であり、アウトプットと解釈すれば、社会が変化する中でアウトプットを高めるには、継続的なインプットがどうしても必要です。それも、質の良いインプットです。私たちは、そうしたインプットを「学び直し」と呼んでいます。

DXが加速する時代、必要なのは「柔らかな頭」

筆者（フェルドマン）の苦いエピソードをお話ししようと思います。

2007年のことです。ある営業マンの友人と、「アナリストには必要な能力が六つある……」と話していた時のことです。当時私が考えていた六つの能力とは、「分析力、人間力、プレゼン力、数字力、エネルギー（＝熱意）、言語力」でした（これらについては、4章で詳しく説明します）。

すると、その友人に「一つ抜けている」と言われたのです。「商売力もアナリストにとって欠かせないよ」と。私は絶句しました。その通りだ、なんで気が付かなかったのか。

思いつかなかったのには理由があります。筆者はそもそも学者タイプであり、その視点から歴史を見ると、**学問が進むきっかけは、実践問題に取り組んだ時**が圧倒的に多い。つまり、「学問を進めるなら、実践問題に取り組まないといけない」と思い込んでいました。すなわち、「商売は材料（＝実践問題）で、学問は産物である」という学者の考え方です。

ところが、彼は全く逆でした。その人はMBAの学位を持つ方でしたが、「学問は材料で、商売は産物だ」という考え方なのです。その時、私の視野が狭かったことを痛感しました。

学び直しは、これまで**自分が会ってきた人たちと異なるタイプの人に会う機会**を提供します。専門性を身につけることはいいことですが、その結果どうしても視野が狭くなりがちです。

ある程度重なる知識、共通認識を持ち、視野・経験・目標の異なる人々に出会うことで、あなたの人生の目標は達成しやすくなるのではないでしょうか。

「我々は月へ行く」くらいの使命感を持つ

学び直しのもう一つの側面を見せてくれたのは、チャールズ・ガーフィールド氏です。ガーフィールド氏は宇宙工学を修めた後、NASA（アメリカ航空宇宙局）に入りました。1950年代のNASAは、ソ連に負けっぱなしで、全く士気が上がりませんでした。ところが、1961年、ケネディ大統領が「我々は月へ行く」と演説をすると、NASAの人たちは一変してスーパーパフォーマーになりました。

この史実を聞いたガーフィールド氏は、心理学を勉強したいと思いたち、NASAを辞めて心理学の学位を取りました。その後、カリフォルニア大学サンフランシスコ校の臨床心理学の教授になり、スポーツ、医学などの分野で大きな成果を上げたのです。

学び直しの分野を選ぶときには、いくつかの視点から考えるべきです。一つは、寿命が延びている現在、学び直しをしないと十分な生活費を稼げないかもしれないということです。生活水準を守りたいなら「これから必要とされる盾と矛は何なのか」を考えながら、自分と全く違う業界、世界の人たちに触れられる環境に身を置くのがいいと思います。すなわち、**自分が持っていない、これから必要とされる考え方・スキルを学ぶ**ことです。

さらに大事なことは、ガーフィールド氏のように使命感を持つことです。東京理科大学MOTではグラデュエーション・ペーパー（修了研究）を書くことが必須となっています。入学をする日から（場合によって入学の前から）テーマを考えてもらっています。テーマ選びに関する私たちのアドバイスは、ニュートンの墓にあります。イギリスのウェストミンスター寺院にあるニュートンの墓碑には、ラテン語で、「Hic depositum est quod mortale fuit Isaaci Newtoni」と書かれています。

和訳すると「アイザック・ニュートンの亡骸（なきがら）、ここに眠る」あるいは「死せりしアイザック・ニュートン、ここに眠る」となるでしょうか。当時のイギリスの宗教観では、肉体は滅んでも「魂は不滅」という考えが支配的だったようです。一方、筆者二人の解釈は異なります。すなわち、ニュートンは亡くなっても、物理学を始めとした彼の偉大な功績は未だに生きているという解釈です。筆者が常々学生に言っていることは、「諸君が取り組む修了研究は、ニュートンまでいかなくても、使命感を持って、社会の健全な発展に貢献するものであってほしい」ということです。

ＭＯＴの時代が到来

さて、現代日本においては、学び直しの選択肢はたくさんあります。書店に行けば、ビジネスの基礎となる簿記会計やマーケティング、また話題となっているＤＸ・プラットフォーム、リベラルアーツなどの本も書棚に並んでいます。必要に応じて、好きなように独学ができます。あるいは、学位は取れないものの時間的な拘束が緩い通信教育、社会人が平日の夕方や週末に通えるＭＢＡコースもあります。共通することは、自分の意志で、**自分のお金と自分の時間を自分自身に投資する**ということです。

筆者二人は、社会人を対象とした「学び直し」に従事しています。東京理科大学ＭＯＴです。ＭＯＴはManagement of Technologyの略で、和訳すると「技術経営」です。残念ながら、日本ではまだ認知度が低いようですが、１９８１年に米国マサチューセッツ工科大学のＭＢＡコースの中に設置されたのが起源と言われています。

ＭＯＴは、現代の企業およびビジネスパーソンのニーズを先取りする技術経営を中心に据えたＭＢＡだと理解していただければ良いかと思います。

もう一度、図表4をご覧ください。図では「学び直し」の矢印を3本描きましたが、2本の人、あるいは4本の人もいるかもしれません。人それぞれです。

私たちにとって少し意外だったのは、ＭＯＴ受験者のプロフィールを見ると、すでにＭＢＡの学位を取得されている方、経営学以外の博士号を取得されている方が何人か含まれているということです。複数回の学び直しの実践者ですね。一度「学び直し」をする人は、**さらに向上心を持って、二度、三度と学び直す**人が多いということかもしれません。ともあれ、ＭＯＴは、数ある「学び直し」の有力な選択肢の一つだと考えています。

参考文献

Garfield, Charles (1986) *Peak Performers*, William Morrow

鈴木良隆・大東英祐・武田晴人（２００４）『ビジネスの歴史』有斐閣

まとめ

○２０３０年には、１６００万人の仕事がなくなる

○人生１００年時代、就労年数は延び、生き方はより多彩、多様になる

○ＤＸによって、学んだことの賞味期限はどんどん短くなる

○「学び直し」とは、自らの意志で、自分のお金と時間をあなた自身に投資する行為

○向上心のある人に学び直しのゴールはない

2章

AIとDXを自分の言葉で語れるようになろう

売上が下がった時ほど、人と技術に投資せよ

「学び直し」を考えたとき、まず必須なのが「AI」と「DX（デジタルトランスフォーメーション）」と言っていいでしょう。本章では、ビジネスパーソンが避けては通れない「AI」および「DX」について、単なる用語としてではなく、その本質を考えていきましょう。

「必要は発明の母である」とよく言われますが、私は、発明の本当の母は「苛立ち」だと考えます。なぜなら、**困ったことがあって初めて、人間の創意工夫が働く**からです。

典型的な例は「米百俵」の話です。戊辰戦争で敗れた長岡藩は、7万4000石から2万4000石に石高を減らされ、藩士は窮地に陥ります。長岡藩の支藩にあたる三根山藩はその窮状を見かねて、米百俵を贈りました。

日々の食事にも事欠く藩士たちは、この米を分けてもらえると期待します。ところが長岡藩の大参事である小林虎三郎は、米を売却し、藩の学校を設立すべきだと決断しました。

小林は、つめよる藩士たちにこう語ったといいます。

「百俵の米も、食えばたちまちなくなるが、教育にあてれば明日の一万俵、百万俵となる」

困窮する今こそ、**教育、すなわち未来へ投資すべし**という考え方でした。現代のビジネスで言えば、困ったときこそ人材育成、研究開発、技術進歩、イノベーションを促進させるべきであるということでしょう。今でも感動する前向きな哲学ですね。

19世紀後半から20世紀初期にも、人々は技術によって問題に取り組み続けました。アジア諸国に比べて西洋諸国が有利だった一つの理由は、簡単に誰でも読める、誰でも書ける文字を使っていることでした。特に、電報においては文字の種類は少ない方が有利です。だからこそ、西洋にはタイプライターおよびモールスコードが発達したのです。漢字を利用する中国・日本では、西洋のようにはいきません。どのようにすれば漢字で電報が打てるのか。また漢字タイプライターの開発は、東洋だけでなく西洋の発明者も加わっての大競争になりました。

電報については割と簡単でした。各漢字に番号を与え、番号をモールスコードで送信し、受信する人は番号を漢字に戻せば良いからです。少し面倒ですが、筆で書いて、馬で手紙を送るよりは遥かに楽です。

タイプライターは電報よりも格段に難しかったのですが、あるアイデアがドイツからもたらされました。当時のドイツ語は英語より文字も若干多く、タイプライターが使いにくかったのです。そこで開発されたのが、活字を縦横に配置して、その位置を指定すれば活字を打つことができる機械でした。

問題はサイズが極めて大きい活字版であったことでした。40年間の工夫の末、日本の杉本京太氏および中国の周厚坤氏がほぼ同時に、同じようなデザインを完成させました。1910年代半ばから1980年代半ばにかけて、この和文タイプライターの技術が主流となります。活字版を覚えて和文タイプライターを使いこなすには数年間を要するため、タイピストという専門職が生まれました。

1980年代になると、コンピューターが発達し、「一太郎」などのソフトが開発され、1990年代には「Word for Windows」の日本語版が発売されました。ひらがなで「くるまで」と入力すれば、「車で」という意味か「来るまで」という意味か、という選択肢がスクリーンに表示され、書く人が選ぶというやり方です。

せっかく、数年間をかけて活字版を覚えたタイピストたちの努力は価値がなくなってしまいました。職を守るには、**新たにワープロ、パソコンを覚える**しかありませんでした。

これらの例における共通点は、さて何でしょうか。

どうする!? キャッシュレス・レジの使い方を覚えない客

筆者（フェルドマン）の義理の母が、技術進歩の本質を教えてくれました。彼女の父親は、よくこう言っていたそうです。

「勉強しなさい！　勉強しなければ『溝掘り』になるしかないよ！」

当時の「溝掘り」は大変な仕事でした。ショベル一本で一日中溝を掘って、疲れ切るまで働いても賃金が安かったのです。現代の「溝掘り」はそうではありません。一人の労働者が大型掘削機を操作し、高い賃金を稼ぐことができます。すなわち、「溝掘り」という仕事は、「資本装備率」が高まったのです。資本装備率とは、**労働量に対する資本量の比率**です。Kが資本、Lが労働であれば、K／Lです。ショベル一本と大型掘削機ではK量が全く違います。

労働市場は、大型掘削機ができてどう変わったでしょうか。一人の労働者が掘削機を操作し、生産性が高まったことで、高い賃金を稼ぐことができるようになりました。ショベルを使って溝を掘っていた人たちはどうでしょう。彼らは「溝掘り」の仕事を失いましたが、掘削などの建設工事のコストが低くなり、極めて効率的になった結果、経済が成長し、学び直すことによって他の仕事でより高い賃金を稼げるようになりました。

今のコンビニでも、全く同じことが起きています。今から2、3年前、通勤途中に最寄り駅の近くのコンビニに入りました。キャッシュレス・レジは2台ありましたが、誰も使っていません。対して、1台の有人レジには5、6人が並んでいました。私が誰も並んでいないキャッシュレス・レジで、すいすいと買い物を済ませると、並んでいる人たちが横目で見ています。「なんてずるい外国人！　並ばない！」という顔でした。私はむしろ、「機械の使い方を覚えたら得だよ。なんで並ぶの？」と思っていました。

コンビニは技術進歩によってキャッシュレス・レジを導入した結果、同じ売上を少ない労働者数で達成できています。問題は、客がキャッシュレス・レジの使い方を覚えないことです。使いやすいキャッシュレス・レジであれば問題ないのですが、使いにくいものの場合、顧客の待ち時間がかえって長くなり、他の店に行ってしまうようになるでしょう。

すなわち、資本装備率を高めることには、新しい資本に合う労働訓練と労働配分、同時に**顧客の教育が必要**です（ところで、私の場合はキャッシュレス・レジの使い方は難しくなかったのですが、商品を素早くレジ袋に入れることの方が難しかったのです。今は、上手になりました）。

この二つの例は技術革新の一種に過ぎません。いわゆる「プロセス・イノベーション」です。すなわち、新しい技術によって、同じ商品（溝掘り、小売の決済）をより効率的に扱うことです。このようなイノベーションにおいて、経済が成長していない状態では職を失う人が出てきます。雇用を減らしますが、また新たな職業を生む可能性もあるのです。

雇用を破壊するイノベーション・生み出すイノベーション

「プロセス・イノベーション」とは別の技術革新として、「プロダクト・イノベーション」があります。新しい技術によって、これまでなかった商品を発明して売ることです。経済史には、プロダクト・イノベーションの例もあふれています。

存在しないものを頭の中で想像すること、お客様の声を聴くということはビジネスの鉄則ですが、「プロダクト・イノベーション」の場合は必ずしも当てはまりません。この事実を教えてくれたのは自動車会社フォード・モーターの創業者、ヘンリー・フォードです。

フォードは「顧客ニーズを顧客から聞きますか」と尋ねられた時に、「聞かない。顧客にニーズを聞いたら、より速い馬が欲しいというだけだ」と答えました。すなわち、新しい技術の可能性を理解するのはお客様ではなく、アントレプレナーだということです。お客様の潜在的ニーズをつかみ、新しい技術を利用することで、より快適に潜在的ニーズに応える新商品を開発し、**顧客に使い方とその利便性を教え売り込むのが、アントレプレナー**です。

良い発想があっても、開発は思うほど簡単ではありません。その要因は、大きく分けて四つあります。

（1）どの商品も、必要とするインフラがあるからです。馬が走れる道路と自動車が走れる道路は違います。

（2）外部経済・不経済（すなわち、全く関係ない人が得したり、損したりすること）の存在もあります。自動車は、馬による大きな外部不経済を解決しました。つまり、馬の排泄物が大都市の問題でしたが、自動車が導入された結果、解決されました。ただし、自動車が多くなると**排気ガスによる別の外部不経済の問題**を引き起こしました。

（3）従来からある産業がイノベーションを邪魔することもあります。こうした場合、公正・公平かつ迅速に問題を解決する必要があるため、行政の関与が不可欠になります。民間と行政が協力して初めて新しい技術が普及するのです。

（4）事故が発生した時に、責任分担を決めるのは法律問題となるからです。

では、現代のＩＴ、ＡＩ、深層学習などは、どのようなプロセス・イノベーション、どのようなプロダクト・イノベーションをもたらすでしょうか。そして、どのようにしてこれらのハードルを越えていくのでしょうか。

図表5　AIを理解するための三つの技術

項目	例
情報技術（IT：Information Technology）	
文字データの処理	在庫管理
イメージ処理	パン屋のレジ登録
機械学習（ML：Machine Learning）	
検索とランキング	検索エンジン
データの検索、処理、行動あるいは提案	物流、医療ソフト
情報の媒体変更、自動改善	音声入力、機械翻訳
深層学習（DL：Deep Learning）	
予測、行動、錯誤把握、方法改善	自立運転

出所：筆者作成

ＩＴがぴったりサイズの背広を探してくれる

現代の私たちが避けて通れないイノベーションが、「ＡＩ」です。

「ＡＩ」とは、かなり曖昧な表現です。「人工知能」という意味ですが、「人工」も「知能」も曖昧です。確かに、ＡＩは人間が作るコンピューター・プログラムで動きます。この意味では「人工」です。しかしながら、ここ10年間、**自分で学習し、より進化するプログラムができた**ため、「人工」でなくなった面も出てきているのです。

一方、「知能」はもっと曖昧です。知能には、分析知能、情緒知能、社会知能があります。

まず、新しい技術の分類をしないといけないのですが、図表5のような簡単な分類を提案してみたいと思います。

各分類の境界線は多少曖昧ではありますが、一番単純なのは、ＩＴ。把握したデータを処理し、人間が利用できる形にする、というものです。

単純な例は「文字データの処理」による在庫管理です。一例を挙げてみましょう。5年くらい前、筆者（フェルドマン）が背広を買おうとした時のことです。

その店舗に好きな柄はあったのですが、ちょうど良いサイズがありませんでした。そこで、店員がiPadを出して、姉妹店舗の在庫を検索したところ、新潟の店舗に欲しいサイズがあることが確認できたのです。私はその場で注文し、新潟から送ってもらうことができました。

次の「イメージ処理」は、「文字データの処理」に似ていますが、**文字ではなく画像を把握して解釈する**ため、断然難しい技術です。一つの例は、パン屋さんで広がっているソフトです。

パンそのものに、バーコードを付けることはできません。このソフトは、トレイに載っている色々な種類のパンの画像を識別し、値段を検索し、支払い総額を計算するシステムです。とても素晴らしいソフトですが、基本的に人間がソフトに識別の方法を教えたものです。難しい技術ではありますが、基本的にＩＴの段階です。

ワトソンＭＬが可能にする難病治療

さらに高度な技術が、機械学習（ＭＬ：Machine Learning）です。わかりやすい例としては、検索（サーチ）エンジンがあります。入力されたデータ（グーグルなら文字、アレクサなら音声）を把握して、キーワードを利用して関連情報を探します。

質問が蓄積されればされるほど、**人気が高い情報、あるいは役に立つ情報**が検索結果上位に来ます。人気の高い情報を常にアップデートしながら、答えを改善しているのです。だから「学習」という呼び方になります。

ただし検索エンジンは提供された情報を基(もと)に行動を提案しませんが、ＭＬのもう一つ進んだ段階では「行動あるいは提案」をします。その例が「医療ソフト」です。

有名なところでは、数年前に東京大学医学部附属病院で起きたＩＢＭのワトソンＭＬによる事例があります。治療が困難なある患者について、医師チームはワトソンに、患者の医療情報、ＤＮＡの構造、症状を入力し、膨大な量の過去の医学研究を参考に診断してもらったのです。人間にもできないことではありませんが、**高度な訓練を受けている医師、研究者たちが数週間も論文を読んでやっと可能な仕事**です。ワトソンは、それをたった10分で終えました。

医師たちは、ワトソンの診断を評価し、その診断に沿って治療した結果、患者は回復したとのことです。この案件は、医療雑誌に掲載されました。ワトソンが医療雑誌を読めば学習効果はあるのですが、ワトソンは自分ではそこまでできません。

別の事例を挙げましょう。「情報の媒体変更」です。ソフトが、人間の口から出る音声を文字にする機能がそれにあたります。例えばiPadの「音声入力」は、メモやメールを書く時に、音声で話し、iPadが自動的に文字にしてくれます。英語でも、日本語でもかなり正確です。「丸」と言えば終止符（。）が打たれます。

もちろん、話し終わったら文章を読み、手入力で間違いを直せます。ただし、音声入力は素晴らしいソフトですが、決まった文章を人間が声を上げて読む作業が必要です。ソフトが自分で学習しているとは言えませんね。

自動翻訳はもう一つの「媒体変更」です。今では機械翻訳ソフトもかなり進歩していますが、3年程前、自動翻訳が現れた初期の段階では、面白い間違いがたくさんありました。あるレストランのメニューを見た時、とてもビックリしました。英語で「tadpole」と書

図表6　機械翻訳の検証(iPhoneの実験)

原文(音声入力)	機械翻訳	採点	コメント
Where is the nearest bathroom?	一番近いお手洗いはどこですか。	A	完璧。
一番近いお手洗いはどこですか。	Where's the bathroom?	A⁻	「近い」が抜けています。
What train do I take to get to Asakusa?	浅草に行くにはどの電車に乗ればいいですか。	A	完璧。
浅草に行くには、どの電車がいいですか。	Which train should I take to go to Asakusa?	A	ちょっと曖昧ですが、十分通じます。
What is the definition of the capital-labor ratio?	資本労働率の定義はなんですか。	B	「労働」ではなく「装備」にすべき。
資本装備率の定義はなんですか。	What is the definition of capital equipments?	F	ダメです。「資本財の定義はなんですか」になっています。
How is a parabola related to conic sections?	コーンセクションに関連するポラボラはどうですか。	F	ダメです。Parabolaとは、放物線。Conic Sectionとは、円錐曲線。
放物線と円錐曲線はどのような関係ですか。	What is the relationship between radiation and the cone curve?	F	ダメです。Radiationは「放射線」。「The cone curve」という英語はありません。
How many students get As and how many students get bees?	Aと八を何人の生徒が手に入るか。	F	英語の読み取りがB(成績)と蜂を取り違え、蜂を八にしています。Getはここでは「手に入る」の意味ではありません。
学生の成績ですが、何人がエー何人がビーですか。	I'm a student, but how many English are berdings?	F	日本語の読み取りが完全に間違っています。翻訳では、英単語として存在しないberdingsが出てきます。

資料:アップル社のiPhoneにプリインストールされている「Translate」アプリ

かれていました。「オタマジャクシ」という意味です。日本語のメニューと見比べると、その料理は「メカジキ」でした。当時の機械翻訳ソフトで「メカジキ」を調べたら、やはり「tadpole」となってしまうのです。

また、他のレストランでは、「pig rose」と書いた英語が献立にありました。日本語では、「豚バラ」でした。「豚」と「バラ」……大笑いです。初期はこのレベルだったのです。

現在の翻訳ソフトは、観光客が利用する簡単なフレーズなどはかなり正確です（図表6参照）。経済用語になると当たりもはずれもあり、数学では使えません。同音異義語のある文章においてもまだまだです。

しかし、今後人間が翻訳をチェックし、ソフト開発を進めていけば、かなり良くなるでしょう。それまでは、**人間の介入が必要**なのです。

DLの進化で、ドライバーもスパコンも消滅する!?

MLより、さらに進んでいるのが深層学習（DL：Deep Learning）です。人間の役割は、ゼロではありませんがかなり小さくなっています。もちろん、最初のプログラムを書くのは人間です。しかし、その後は、ソフトが状況を把握しながら作動し、その作動の結果を評価します。評価が良ければ、反応ルールは変えませんが、結果が不十分であれば、評価基準を利用して反応ルールを自分で変更していきます。環境を把握し、適切な行動を取るだけではなく、常に結果を見て行動を徐々に変えていくのです。

DLの一番わかりやすい例は「自立運転」です。運転手がかなり操作に関与する「自動運転」に比べ、「自立運転」は運転手に頼らない運転を指すので、難易度の次元が違います。

しかしながら、「自立運転」の技術は短期間にかなり進歩しており、事故の例はほぼありません。とはいえ、**万が一事故が起きた場合の責任はどこにあるか**、という法律の問題が未だ解決されていません。国により状況と交通ルールも異なります。すなわち、どのような情報をどのように解釈して、どのように運転スキルを高めていくかは、まだ初期段階です。

「自立運転」の技術が発達していくと、社会は大きく変わります。かつて自動車が出現した時、人力車の車夫はタクシードライバーになれました。しかし、この「自立運転」が発達すれば、運転手という仕事はかなりなくなるでしょう。良い面としては、居眠りや飲酒、操縦ミスによる事故が少なくなる可能性が考えられます。

このように、DLが発達することは素晴らしいのですが、限界もあります。一つは、どのデータを利用して学習するかです。これまで通りのデータを利用すれば、これまで通りの社会の暗黙バイアスが続くことになります。データの暗黙バイアスは要注意です。

さらに、「行動の結果を評価する」時の評価基準を誰が作成するかという問題があります。目的関数ですね。自立運転は、**早期到着、安全性、乗り心地**など、目的関数に入れる変数がたくさんあります。各個人の異なる嗜好がある一方で、相互関係を見た上で、社会全体の最適化も大切です。ＤＬの幅広い実現にはまだ時間がかかりそうです。

一方、ＤＬを進化させる技術革新は続きます。まだ初期段階ですが、量子コンピューターが色々なところで研究されています。２０１９年には、グーグル社の研究室が開発した量子コンピューターが、当時の世界最速のスパコンで1万年かかる計算を２００秒で終えた、との発表がありました。約16億倍の速度です。すごいことですが、すぐ商業化できるものではありません。20年後、30年後の未来かもしれませんが、計算速度が速まるとＤＬがより現実的になるでしょう。

「ポニー特急」倒産が教えるＤＸの本質

ＩＴ、ＭＬ、ＤＬをふまえて、ＤＸ（デジタルトランスフォーメーション）を定義してみましょう。ITの浸透が私たちの生活をより良く変化・向上させるという考え方です。前三者は技術の問題ですが、DXはビジネスの問題です。

DXとは、IT、ML、DLを利用するビジネスモデルを変化させることです。3章では、富士フイルム、Klöckner社のビジネスモデル変化の事例を取り上げますが、ここでは経済学を参考にしてDXの意味合いを説明します。

IT、ML、DLの技術進歩は、経済学の概念で言えば、極めて**大きな情報コストの低下**をもたらします。情報は生産要素（労働、資本など）の一つです。情報コストが下がれば、情報をもっと利用して、他の生産要素の利用を少なくするという行動が合理的です。

DXの問題については、1850年代のアメリカの事例から多くの教訓を得られるのではないかと思います。

カリフォルニアが正式にアメリカ合衆国の州になったのは、1850年のことでした。当時のアメリカには、東海岸と西海岸の間の情報伝達が極めて悪いという大きな問題がありました。

船で行く場合、東海岸のニューヨーク、ボストンなどから、西海岸のサンフランシスコまでは、南アメリカ大陸を回る必要があり、早くても110日間かかっていました。ただし、船の方が無事に到着する確率は高かったようです。

一方、大陸横断鉄道が完成するのは20年も先のことです。陸上で情報を送る場合、東海岸から中西部のミズーリ州まではそう長い時間はかからなかったのですが、中西部からサンフランシスコまでは不確実性が高い、24日間におよぶ極めて危険な旅でした。

そこで、3人のアントレプレナーがチャンスをつかみました。

ラッセル、メージャーズ、ワデルら3氏が考え出したアイデアは、「ポニー特急（Pony Express）」でした。ミズーリ州のセント・ジョーゼフ市から手紙をポーチに入れて、十数キロごとに馬を乗り替えて3200キロのルートを辿ります。1860年4月3日に出発し、4月14日にサンフランシスコに到着しました。ミズーリ州からサンフランシスコまで24日間かかっていたのを、たった11日間に短縮したのですから、画期的な速さです。

ところが、1861年10月26日、ポニー特急の会社は開業からたった1年半で倒産を発表しました。南北戦争が始まったからではありません。先住民との戦争でもありません。その要因は、技術革新でした。倒産発表の2日前の10月24日、**大陸横断の電信網が完成**したのです。中西部のネブラスカ州のオマハ市から、ユタ州のソルトレークシティー経由でカリフォルニア州のサクラメントまで電報が届くようになったのです。ニーズがなくなったポニー特急は、消え去りました。

さて、ポニー特急の従業員はどうなってしまったのでしょうか。路頭に迷うことはありませんでした。技術の進歩によって成長するアメリカ経済の下、新たな職業に就くことができたのです。電報作業員ではないにせよ、電報という新しくできた産業において高収入を得る人が出現し、その人が消費する商品やサービスを提供する産業に転職できたことはまちがいありません。

技術の進歩が従来型産業を破壊する例は、経済史において数多く見ることができます。アメリカで「ポニー特急」が倒産したのと同様に、日本では、江戸時代の「早駕籠」が汽車によって消え去りました。「人力車」は、タクシーによって消え去りました。事例を挙げれば、きりがありません。

それでも、経済成長が止まったわけではありません。むしろ、新しい技術を取り入れた結果、生活水準は上昇したのです。問題は、技術革新によって産業が入れ替わる過渡期の雇用をどうするかです。

ＡＩとＤＸで悩む日本にとって、この歴史的教訓は意味深いと思います。マッキンゼー社の調査によれば、２０３０年までに日本ではＡＩなどが１６００万人の雇用を破壊するそうですが、同じ技術は**１０００万人から１１００万人の転職ニーズをもたらす**と予測しています。これまでの技術、雇用、社会の相互関係にはどのような事例があったのか、どのような理論があるのか。そこには、次の日本をどのように作るべきか、多くのヒントがあります。

1861年のアメリカにおいて、ポニー特急で情報を伝えるコストが電報のコストを大きく上回った結果、電報を利用するプロセス・イノベーションだけでなく、プロダクト・イノベーションも起こりました。その後の150年間も情報コストは低下傾向でしたが、近年はさらに情報コストが低下しています。IT、ML、DLを利用したプロセス・イノベーションもプロダクト・イノベーションも合理的になっています。

電子書籍は単なるプロセス・イノベーション

プロセス・イノベーションは、すでにやっていることをより安く供給するだけですから比較的簡単です。電子書籍が良い例です。書籍の供給を電子媒体でできるようになると、様々なコストを削減することができます。基本的に、サーバーに書籍の電子ファイルを載せれば、**世界中の人々に限界コストがほぼゼロで送信できる**からです。

もちろん、送信ソフトの開発、決済ソフトの開発にはお金がかかりますが、開発費はほとんど固定費です。つまり、電子書籍の供給は、多少高い固定費はあるものの、変動費はほぼゼロです。ミクロ経済学の教科書的に言うと、供給曲線は固定費の上昇によって上方シフトしますが、変動費の削減によって大きくフラット化します。

一方で、書籍供給がある程度電子店舗に移ったために、実店舗の売上が縮小しています。都心の大きな実店舗はまだ残っていますが、地方ではかなり撤退が進んでいます。ただし、書籍の総合消費（何冊売れているか）はあまり変わらないようです。

単価については、実は面白い現象が起きています。

例えば、イギリスの物理学者ファラディの伝記、『Michael Faraday: Physics and Faith』（コリン・ラッセル著、Oxford University Press、２０００年）をアマゾンで検索すると（２０２１年４月29日現在）、紙媒体は32・９５ドル、キンドルでは34・３６ドル。なんと、**電子媒体の方が高い**のです。

なぜなのか、考えてみましょう。紙媒体は日本に届くまで12日間かかり、輸送コストは10・７０ドルです。すると、紙媒体が好きな人は合計43・６５ドルと、総額としてはキンドルより高く支払うことになります。届くまで待つ時間もコストです。

一方、電子媒体を買う人は32・９５ドル＋通信費（実質ゼロ）で済みます（アマゾン・ジャパンでは、３２６８円で、ほぼ同じ）。つまり、媒体そのものの価格は電子媒体の方が高くても、輸送コストを考えると、紙媒体の方が高くなるということです。

紙か電子かの選択では、**高くても紙媒体を買う人が多い**ようです。全米出版協会の２０

１９年に関するレポート（２０２０年中頃発表）によれば、消費者向けの書籍販売の４分の３は紙媒体でした。日本でも、紙媒体が圧倒的に多いと言われています。では、なぜ、日本の消費者はわざわざ高い紙媒体を買うのでしょうか（紙々の国だからではありません。Ｂｙフェルドマン）。

それは、個人の趣味と利用方法の慣性だと思われます。紙書籍、電子書籍は、同じ中身でも特徴（使い勝手）が異なります。各個人の好き嫌いもあるし、人間には「これまで通り」を好む習性があるのです。しかし、電子書籍を売りたい会社は、今後顧客の教育（例えば、電子媒体でも簡単にメモがとれること、ハイライト機能、語彙検索機能の使い方、短い引用を送信すること）をすることにより、読者の選択を変えられる可能性があります。

プロセス・イノベーションを阻む要因がもう一つあります。業界構造です。電子媒体は、流通させるサイトが独占力を持っており、出版業界は競争が激しい構造です。新聞情報によれば、独占力を持つサイトは出版社から小売価格の３～５割もの手数料を取るそうです。サイトの独占力は出版社のＤＸを阻みます。これは各業界のＤＸの課題でもあります。

要するに、プロセス・イノベーションを阻む要因は、技術普及の速度、消費者の嗜好、業界構造です。新しいプロセスのコストが安いほど、消費者の習性が変化しやすいほど、業界構造が競争的であるほど、プロセス・イノベーションは速くなります。

以上が書籍における「プロセス・イノベーション（輸送によって紙でもらうか、電子媒体でもらうか）」の例でした。

洗濯・乾燥機を、修理しやすいように設計する

一方、書籍市場ではプロダクト・イノベーションも起きています。実店舗の一つの魅力として、どのような本が出版されたかを探検する楽しみがあります。探してもいない本が目に入る、いわゆるセレンディピティ（偶然の出会い）が魅力です。これが書店へ行く楽しみの一つですが、一方で関心がない本をたくさん見ることになるという悪い面もあります。時間の無駄ですね。しかも、店舗まで足を運ぶ時間もかかります。

電子店舗でセレンディピティを再現する方法として、スクリーンに「新しい書籍！」と表示させることはできます。しかし顧客によって趣味が全く異なるので、あまり効果的とは言えません。そこで、電子書籍サイトは、**顧客への販売歴を分析した結果**を、個人向けの推薦書籍として並べています。これは実店舗では到底できないことです。

電子書籍サイトは書店ですが、事実上の「書籍コンサルティング」という新しい商品価値を創造しました。しかも無料です。つまり、実店舗はセレンディピティが魅力であり、

電子店舗は「書籍コンサルティング」と時間の節約が魅力ということになります。

電子書籍の話は一例に過ぎませんが、DXにとって肝心なことは、情報の流れによる刺激と整理です。IT、ML、DLを利用して、**情報の流れをつかみ、その情報を利用できる形にする**ことは、DXの本質ではないかと思います。もちろん、プライバシーを守ることは顧客との信頼関係の基礎であり、不可欠です。一方、使える範囲内で情報を利用することは、顧客、会社、そして社会全体も得をします。近江商人の「三方良し」ですね。

顧客の情報をつかみ、利用することは外向きのDXですが、社内の情報の流れもさらに重要となる可能性があります。私の経験から、一例を挙げてみましょう。

私が新しいアパートに引っ越すと、そこにドラム式の洗濯乾燥機が備え付けてありました。最初は調子が良かったのですが、数年間利用すると、乾燥時間がだんだんと長くなり、6時間かけても乾かない状態になりました。

仕方なく修理業者を呼んだところ、乾燥機内を見るために多くのネジと部品を外す必要があり、長い時間がかかり大変でした。故障の原因は、埃がたくさんたまっていただけだったのですが、修理を終え、もとに戻すまで一苦労です。

修理に来た人に、「機械を設計する人は、修理をする人に相談して、故障した際修理しやすいように設計していますか」と尋ねてみました。すると彼は、悔し紛れに「まさか！」と答えました。

この体験で、メーカーの社内情報の流れが良くないことがわかりました。これでは、利用者の不満が残り、**高コストを招き、商品の評判も悪化**してしまいます。社内の情報の流れを改善することこそ、ＤＸの鍵ではないでしょうか。

参考文献

DeFelice, Jim (2018) *West Like Lightning: The Brief, Legendary Ride of the Pony Express*, William Morrow

Kuang, Cliff and Fabricant, Robert (2019) *User Friendly: How the Hidden Rules of Design Are Changing the Way We Live, Work, and Play*, MCD Books

McKinsey Global Institute (2017) *Jobs Lost, Jobs Gained: Workforce Transitions in a Time of Automation*

Mullaney, Thomas (2017) *The Chinese Typewriter: A History*, MIT Press

中村隆英（１９７１）『戦前期日本経済成長の分析』岩波書店

Pentland, Alex (2017) *Social Physics: How Social Networks Can Make Us Smarter*, Penguin（小林啓倫訳『ソーシャル物理学：「良いアイデアはいかに広がるか」の新しい科学』草思社、２０１５年）

まとめ

○ＡＩを正確に理解するのに必要なのは、ＩＴ・ＭＬ・ＤＬの３段階

○顧客に、新技術の使い方と便利さを教え、売り込むのがアントレプレナーの役割

○技術革新は人々のこれまでの職を奪うが、同時に新たな雇用も生み出していく

○ＤＸを実現するのに不可欠なのは、情報の流れの刺激と整理

3章

DXの本質は、
ビジネスモデルの変革

単なるデジタル技術の置き換えはＤＸとは言えない

企業を取り巻く事業環境は様々な要因で変化します。その変化にうまく対応できない企業が淘汰される運命にあることは、経営史が教えるところです。

現代において、「要因の変化」の最たるものはデジタル技術の革新でしょう。本章では、現代の企業において最大のテーマと言ってもいいＤＸ（デジタルトランスフォーメーション）について、過去の事例を基に考えていきます。

21世紀以降、特に２０１０年以降のインターネットやＡＩを駆使したＧＡＦＡなどのＩＴ企業発展には目覚ましいものがあります。それまで各業界内で常識となっていた暗黙のルール、**リーダー企業が有していた強みが弱みに転化する**事例が随所に見られるようになりました。

そうした状況を反映してか、ここ数年、ＤＸに関する新聞記事が毎日のように見られ、ＤＸをテーマにした書籍も多数出版されています。

こうした多くの記事や書籍において、「ＤＸにおいては既存の事業オペレーションを、デジタル技術を使って単に置き換えるだけでは勝てない」と指摘されています。つまり、人間による手作業の機械化、インターネットによる販売などを導入しただけでは不十分だということです。

なぜなら、技術革新とともに、「顧客の期待値」も変化するからです。

レンタルビデオ業界の事例を見てみましょう。以前は店舗でビデオテープの貸し出しを行っていましたが、パソコンと携帯電話（スマートフォンを含む）が普及すると、インターネットを通じた予約注文サービスを始めました。次第にビデオテープがＤＶＤに移行し、インターネットで注文し、ＤＶＤを自宅へ郵送するサービスが一般的になります。さらに、ストリーミング技術の進歩、インターネット回線速度の劇的な向上と一般家庭でも使えるコストダウンが実現すると、「レンタルビデオ」業は、「映像のダウンロードサービス」へと変化したのです。

レンタルからサブスクリプションへ

その業界にどっぷりつかって、**業界のルールの下で成長してきた企業**は、たとえわかっていても自ら変化することは難しいものです。

もし、自社のビジネスモデルを「ビデオテープあるいはＤＶＤ、つまりハードを店頭でレンタルするビジネス」と考えている企業が顧客アンケートを行ったら、どのような要望が出てくるでしょうか。少し想像してみてください。おそらく、「新作のビデオを借りに行ったのにすべて貸し出し中だったので、新作ビデオの本数を増やしてほしい」「旧作のレンタル価格を下げられないか」「レンタル期間を長くしてほしい」などの意見が出てきたことでしょう。

真面目にマーケティング活動を行うリーダー企業ほど、真面目に対応してきたはずです。しかしながら、これらはすべて「既存の技術を前提とした要求」です。実は、顧客の本質的な要望は、ビデオテープやDVDというハードが欲しい（借りる）ことではありません。自分の好みにあった映像ソフトを鑑賞すること、それも**可能な限り手軽に、かつ安く、**です。将来的に、顧客の要望は、自らが主人公となっているストーリーを、五感を駆使して疑似体験できる空間ということになるかもしれません。すなわち、今日の顧客は新技術で何ができるかはわからないので当然要求しません。1900年当時、馬に乗っている人に聞いても「T型フォードが欲しい」と答えるはずはありません。

「イノベーションのジレンマ」とは？

このように考えると、一世を風靡したクレイトン・クリステンセンの『イノベーションのジレンマ』(翔泳社、2000年)が思い出されます。クリステンセンが示した「ジレンマ」は、以下のような流れです。

(1)優良企業ほど既存の事業環境を前提として顧客の声を聴き、絶えず持続的に製品を改良する研究開発を行います。

(2)しかし、時間の経過とともに顧客のニーズは、供給可能な製品の品質レベルを超えてしまいます。

(3)その間、後発ベンチャー企業が、性能は低いが顧客のニーズを満たす製品を開発します。

(4)最終的には既存技術に固執する大企業は淘汰されます。

一方、課金方式に目を転じてみましょう。貸し出す1本の映画ごとに課金するビジネスから、サブスクリプション(月額使い放題などリカーリング〔繰り返し〕モデル、以下、「サブスク」)へと進化しました。サブスクビジネスの要諦は**顧客の継続率を高める**こと(チャーンレート〔解約率〕を低くすること)です。

そのためには、顧客の好みを分析して興味のありそうなコンテンツを推奨するなど、A

Iを活用したタッチポイント（顧客接点）におけるカスタマーサクセス（顧客満足度の向上）が欠かせません。また、既存のコンテンツの配信のみならず、オリジナルコンテンツの開発（企画制作）にまで及んでいます。こういった変化をもたらすのは、**新技術の可能性を理解する業界の新参者**であることが多いようです。

新参者は、業界における強み（例えば、良い立地の店舗、独占的で強力なセールスチャネル〔流通経路〕、ブランド力、規模の経済など）を有していないので、既存のルール、常識・慣行の上ではどうあがいても勝てません。既存のルールを壊すような技術や発想で挑戦することになります。

すなわち、攻める新参者（ベンチャーなど）も、受けて立つ既存企業もビジネスモデルそのものを見直すビジネスモデル・トランスフォーメーション（変革）が必要になってくるのです。例えば、デパートもオンライン上での販売を始めないと生き残れません。

成功体験や企業文化を破壊するのは至難の業

しかしながら、ビジネスモデル・トランスフォーメーションは、「言うは易く行うは難し」です。なぜなら多くの企業、特にリーディングカンパニーにとっては、長年、ビジネスで成功し、築いてきたやり方、慣行、文化などのＤＮＡ、あるいはセールスチャネルやオペレーションを変えることを意味するからです。

さらに、企業の使命（ミッション）や顧客への価値提供の方法までも、見直しの対象に含まれるかもしれません。

本章では、事業環境の変化によって、**本業が危機に瀕した二つの企業のビジネスモデル・トランスフォーメーションの成功事例**を取り上げて検討します。

ところで、マクロ的な事業環境を分析するツールとしては、ＰＥＳＴＬＥ分析が有名ですね。Politics（政治・法律的な要因）、Economy（経済的な要因）、Society（社会・文化・ライフスタイル的な要因）、Technology（技術的な要因）、Legal（法務的な要因）、Environmental（環境要因）の頭文字をとったもので、ビジネスのニーズや市場の変化から、自社に対する影響などを見出す分析方法です。

ここでは、本書のテーマの一つである「技術」に焦点を当ててビジネスモデル・トランスフォーメーションを見てみましょう。

富士フイルム本業消失の危機

「車が売れなくなった自動車メーカーはどうなるのか。

鉄が売れなくなった鉄鋼メーカーはどうすればいいのか。

我々は、まさにそうした事態──、本業消失の危機に直面していた」

このような衝撃的な文章から『魂の経営』(古森重隆著、東洋経済新報社、2013年)という書籍は、始まります。

その会社とは、富士フイルム(旧社名、富士写真フイルム)です。主力ビジネスであるカラーフィルムの世界総需要は、2000年のピークから坂を転げ落ちるように、2010年には10分の1以下に急減します。2000年に富士フイルムの社長に就任した古森重隆氏は、「カラーフィルムなど写真感光材料は当時、富士フイルムの売上の六割、利益の三分の二を占めていた。その市場のほとんどが、あっという間に消失したのである。…(中略)…二〇一二年、長年のライバルであったイーストマン・コダック(以下、コダック)は、米国連邦破産法第11条の適用を申請した」と述懐しています。

原因は、技術革新によって画質(画素数)が向上し、かつ、**人々の手が届く価格になったデジタルカメラの急激な普及**です。その結果、一部のプロカメラマンや写真マニアを除

図表7　デジタルカメラ価値マップ：近似線

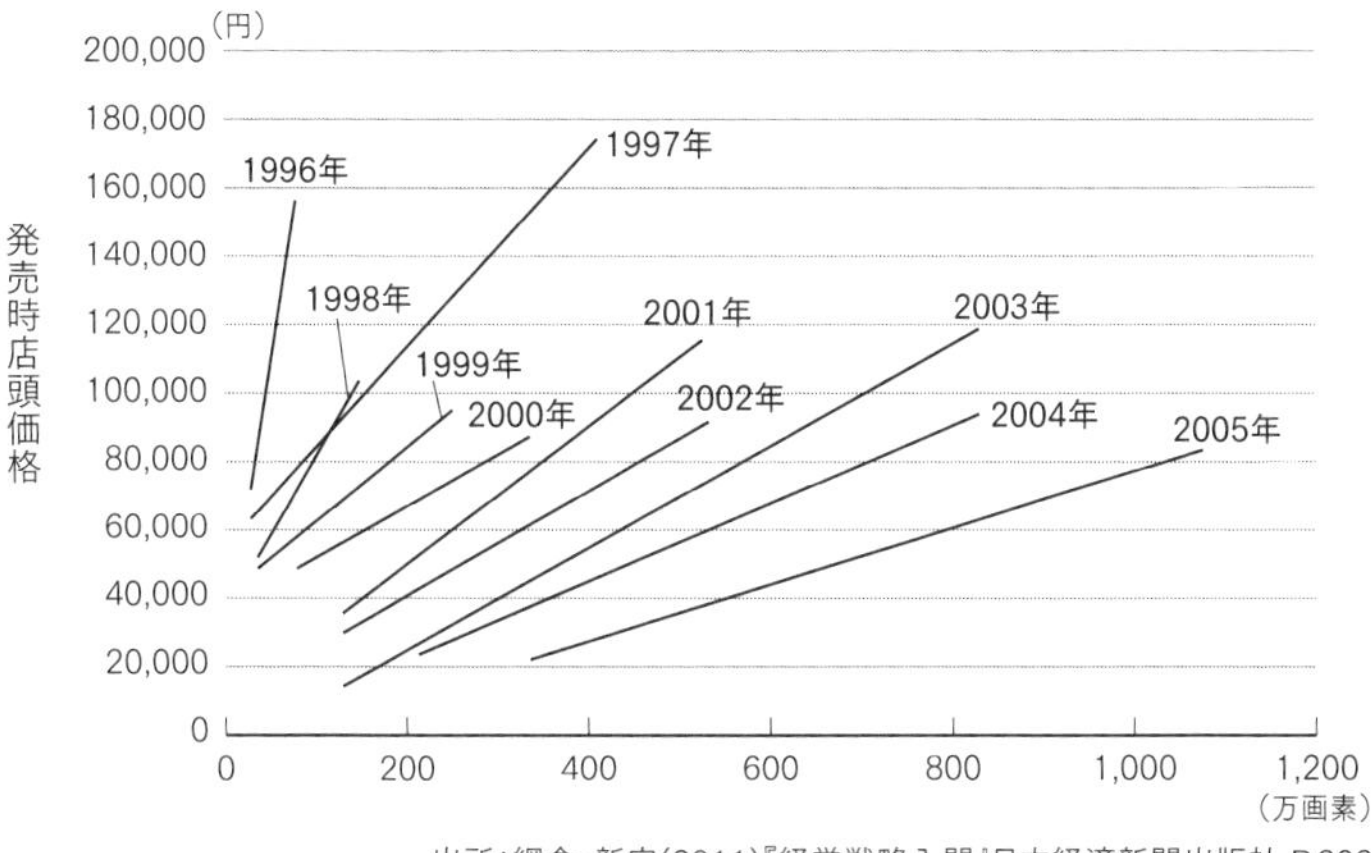

出所：網倉・新宅(2011)『経営戦略入門』日本経済新聞出版社 P.209

いて、写真フィルムや印画紙などの商材需要が消失してしまったのです。データ（近似線）で確認してみましょう。

図表７の「デジタルカメラ価値マップ」をご覧ください。縦軸は発売時店頭価格、横軸はＣＣＤ画素数です。１９９６年当時のデジタルカメラの画質は、今から考えるとかなり粗い50万画素にもかかわらず、価格は７万円。最も解像度の高いモデルは、１００万画素弱で16万円に近い高価格でした。

ところが、２００２年以降の近似線の傾きはフラット化し、**画素数の向上による価格差が縮小**されています。デジタルカメラが急激に普及した理由が見て取れます。

２００４年になると、画素数は８００万画素超でも９万円台、一番安い価格帯では２万円程です。ちなみに、プリントしても、画素数が２００万～３００万画素を超えてしまえば、Ｌ版程度の一般的な大きさではその違いはわかりづらいようです。つまり、一定の画素数を超えれば、メーカーは、画素数以外の機能の開発（望遠・手振れ防止・修整・通信機能、メモリサイズ……）で差別化しなければなりません。当時、厳しい価格競争が繰り広げられていたことが推測されます。

レンズ付きフィルム「写ルンです」は大ヒットしたけれど

富士フイルムのストーリーに戻りましょう。

富士フイルムは、１９３４年に創立、本社工場を富士山の麓（神奈川県南足柄市）に構え、写真フィルム事業を展開してきました。当時は、新しい産業や新しい企業を作る時には、外国から技術を導入することが当たり前の方法でした。ところが、同社は「技術志向の会社」を目指し、独自で技術開発を進めたのです。例えば、カラーフィルムの製造には、製膜、薄膜塗布の他、精密成形、機能性ポリマー合成、ナノ分散、機能性分子合成、酸化還元処理などの様々な技術が求められます。同社は研究開発に注力し、日本市場のみならず海外市場も開拓して**巨人コダックのライバル**に成長していきます。

図表8　四象限マップ

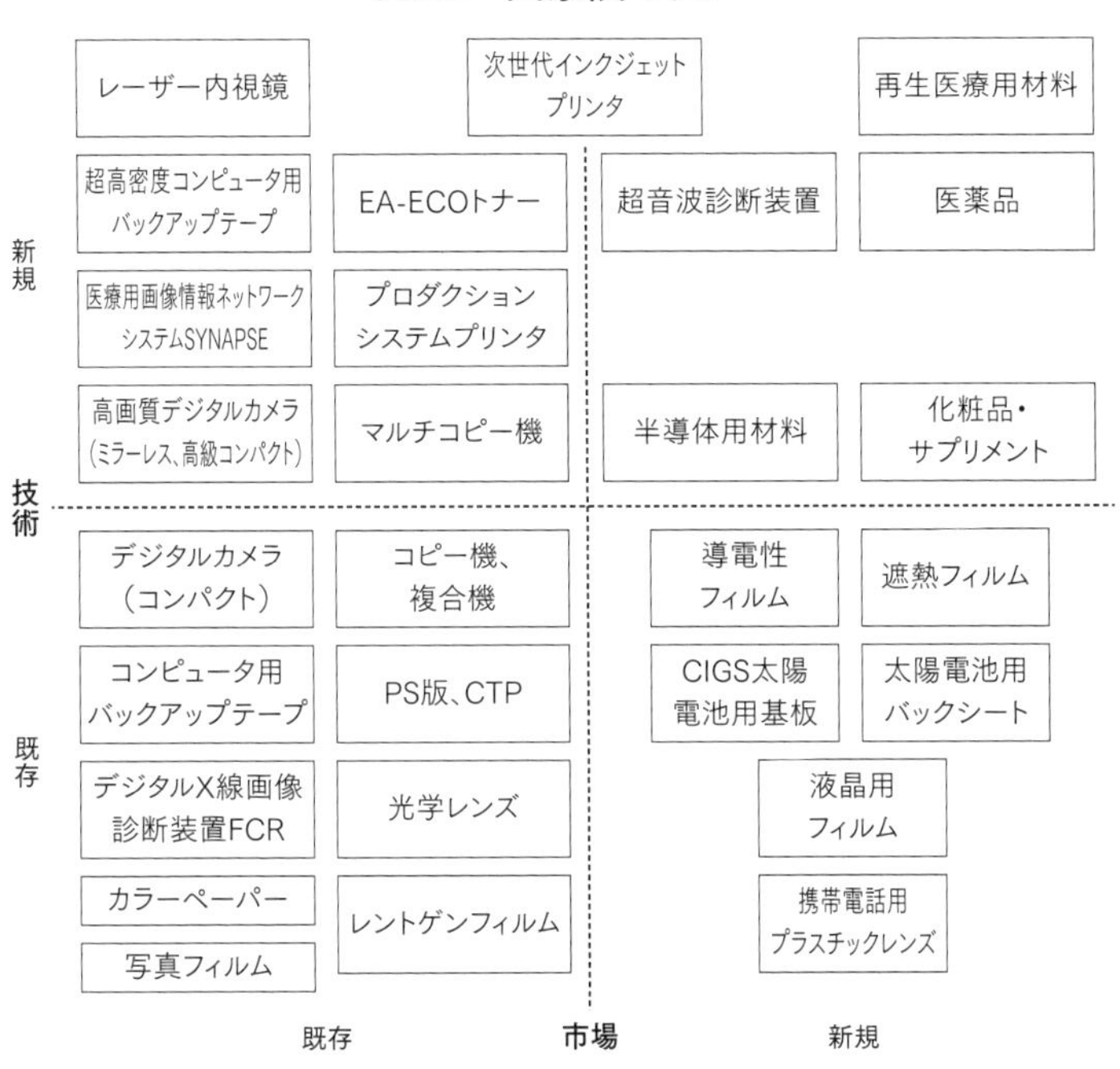

出所：古森（2013）『魂の経営』東洋経済新報社　P.61

一方で、富士フイルムは、長年蓄積してきた写真の技術、ケミカル材料の精密塗布など独自技術が通用しない「デジタル化の波」を、1980年代初頭にはすでに予想していたようです。しかし当時は好景気もあり、世界初のレンズ付きフィルム「写ルンです」のヒットによって好業績を上げていました。

新規事業であるインクジェット、光ディスクともに中止し、設立した医薬品会社も数年で手放しました。新規事業の開発は不要と判断したのです。ところが、好事魔多し。主力の写真フィルム事業がその後5年で赤字に転落してしまいます。

デジタル化時代の戦いは、長年蓄積してきた富士フイルムの写真の技術、ケミカル材料の精密塗布を始めとした独自の技術が通用しない世界です。技術の競争ではなく**価格の競争を強いられる**と直感した古森氏は、CEOに就任すると、技術開発部門に富士フイルムが持つ技術（シーズ）の棚卸をさせ、世の中の求めるもの（ニーズ）と突き合わせることを命じました。

出来上がったのが、図表8の「四象限マップ」です。縦軸に技術、横軸に市場をとり、それぞれ既存と新規の組み合わせで四象限となります。これは全社戦略の多角化を検討する時に使う、有名な「アンゾフ・マトリックス」の応用だと気づかれた読者もおられるでしょう。

写真フィルムの原料は化粧品に応用できる

まずは、市場・技術とも新規となる右上のセグメントについて見てみましょう。医薬品、化粧品・サプリメント、超音波診断装置など、**21世紀の重要産業となることが期待されるヘルスケア関連の事業**が入っています。

富士フイルムは創業間もない頃からレントゲンフィルム、1971年には内視鏡など医療分野に取り組んできました。2012年には米国大手のソノサイト社を買収、超音波診断装置事業に本格的に参入しました。直近では、医療分野を軸に研究開発費と設備投資などで、3年間で1・2兆円を投じると報道されています。

化粧品は畑違いのイメージがあるかと思いますが、写真フィルムとの共通点が意外にも多いようです。写真フィルムの主な原料はゼラチン（＝コラーゲン）で、人間の肌もその約70％はコラーゲンなのだそうです。写真の色褪せ、つまり酸化を防ぐ抗酸化技術は、人間のアンチエイジングの化粧品に応用が効くのです。

同社の化粧品「アスタリフト」には、植物から抽出した天然成分「アスタキサンチン」という抗酸化成分が配合されています。ただし、アスタキサンチンは水に溶けづらい成分のため、物質を微小化するナノテクノロジーが吸収を助ける働きをします。

最近のＣＭを見ると、

（1）世界最小クラスの「ナノ化されたセラミド」が水分を蓄える

（2）輝く肌へ誘う「シリーズ共通の赤」の力（紅鮭の写真とともに）

（3）紫外線などの厳しい自然環境に耐えるために、アスタキサンチンを蓄えるからハリ・うるおいケアをサポート！

というように、技術に裏打ちされたユーザーのメリットを表現しています。

化粧品で止まったわけではありません。隣接業界にも進出し、シナジー効果を狙いました。２００８年、**富山化学工業を買収して医薬品事業に本格参入**しました。その他多くのベンチャー企業の買収や合弁会社の設立を通して、事業の多角化を行っています。

既存の技術を進化させ、液晶ディスプレイにも進出

一方で、長年にわたり写真の領域で培い進化させてきた技術を活用し、新規市場に進出した分野では、液晶用フィルム、遮熱フィルム、太陽電池用バックシートなどがあります。

スマートフォンなど、さまざまな液晶ディスプレイに使われる「高機能フィルム」もその一つです。液晶画面はバックライトが放つ光を、まっすぐ通すことができなければ、美

図表9　事業ポートフォリオの変化

2001年3月期

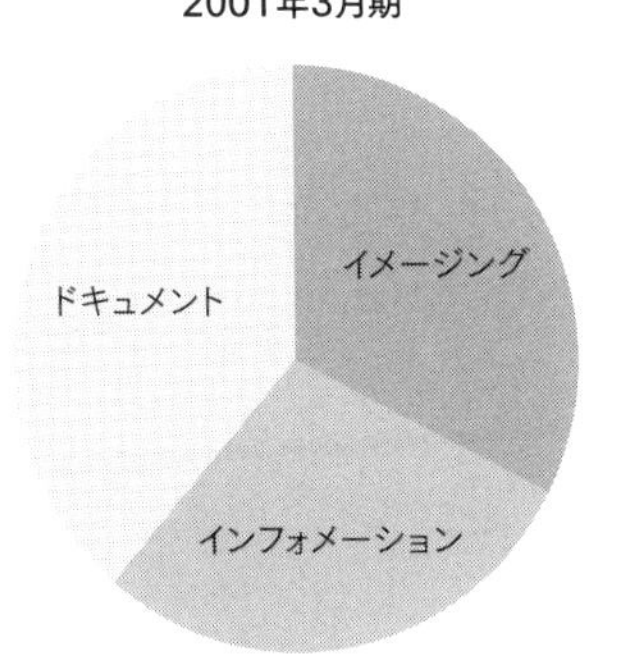

2021年3月期

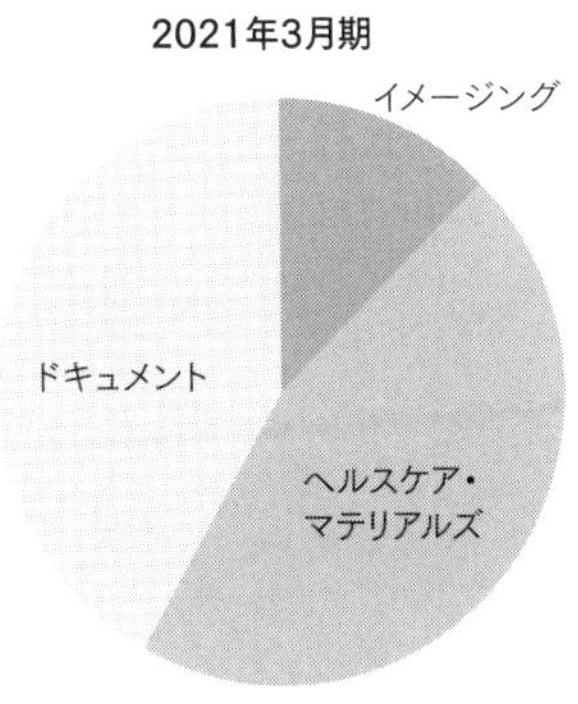

出所:『有価証券報告書』から筆者作成

しい映像を映すことができません。富士フイルムは、液晶ディスプレイで使用される偏光板の保護フィルムを供給しているのです。

また、1990年代に開発した「ワイドビュー・フィルム」は視野角160度、斜めから見ても美しい液晶画像を実現。PCのモニターに広く組み込まれることで、**液晶ディスプレイが広く普及**しました。

一般消費者が日常的に富士フイルムのパッケージを見ることはなくなりましたが、こうしてB2B2C（企業⇒企業⇒消費者）として、パソコンやスマートフォンなどでお世話になっている方は実は多いのです。

図表9は、富士フイルムの事業ポートフォリオの変化です。事業ポートフォリオの区分けは変化しているので、単純な比較はできま

せんが、主力だったイメージング事業が大きく後退しています。インフォメーションという名称は消え、ヘルスケア・マテリアルズが半分近くを占めるまで成長していることが見て取れます。

富士フイルムは、本業が消失する危機に瀕し、巨人コダックが経営破綻する中、ビジネスモデル・トランスフォーメーションに成功した日本の好事例と言えるでしょう。

勝ち続けるために研究投資はやめません

このように書くと順調なサクセスストーリーのように思われるかもしれませんが、その道のりは決して平坦ではありませんでした。既存ビジネスの需要減退に対応して、世界中で**工場の再編と現像所の集約によるダウンサイジング**をはかります。約1万5000人の従業員を対象に、別部門への異動を含めて約5000人のリストラを行ったのです。

一方、経営理念あるいは使命と思われますが、「写真は人間にとって極めて貴重な文化、楽しい思い出、輝かしい思い出、愛する家族と過ごした素晴らしい瞬間などを切り取って記憶できるメディアである」との思いも持ち続けていたとのことです。

だからこそ、単に勝つのではなく、「勝ち続けられる事業」を選ぶ必要があり、そのた

図表10 「魂の経営」でよみがえった富士フイルム

	2001年3月期	2002年3月期	2010年3月期	2020年3月期	2021年3月期
売上高（百万円）	1,383,369	2,401,144	2,181,693	2,315,141	2,192,519
税金等調整前当期純利益（百万円）	199,661	159,549	−41,999	173,071	235,870
総資産額（百万円）	2,830,313	2,946,362	2,827,428	3,321,692	3,549,203
株主資本当社株主帰属当期純利益率（%）	7.4	4.9	−2.2	6.3	8.7

注1）2002年3月期の売上高の急増は、富士ゼロックス（株）の発行済株式総数の25%取得に関わる会計処理による。

注2）2001年および2002年においては、税金等調整前当期純利益は税引前利益、株主資本当社株主帰属当期純利益率は自己資本利益率と読み替える。

出所：『有価証券報告書』から筆者作成

めには、どれほど**会社が厳しい状況に置かれても、研究開発の投資だけは減らさなかった**といいます。毎年2000億円を捻出し、研究開発を続けて社会実装することで、2008年3月期、過去最高の売上高（構造改革、大規模な既存事業への投資、新しい事業への投資、業態転換）を達成します。

しかしながら、同年リーマンショックが起こります。同社も深刻な影響を受け、売上高の目標達成率は50％に下落、さらにその後、急激な円高に見舞われ、2010年には税金等調整前当期純利益が赤字に転落します（図表10参照）。全事業部を対象に二度目のリストラに踏み切ることになったのです。

近年では、米ゼロックスの買収を巡る一連の混乱を経て、合弁は解消され富士ゼロックスを完全子会社化しました（2021年4月から社名変更し、富士フイルムビジネスイノベーション)。

これら一連の変革をリードした古森CEOが、状況をいかに読み、何を考え、どう行動したかは、経営とは何かをさぐっていく上で大変参考になります。興味のある方は、『魂の経営』をご一読ください。

次は、ドイツの鉄鋼・金属の商社(B2B)のDXによる成功事例です。

ドイツ重工業のトップ、シリコンバレーに入門

Klöckner & Co SE(以下、クルクナー)は、1906年創業のドイツの鉄鋼・金属の商社です。1920年代以降、欧州および米国に支店網を広げ、2006年に上場しました。しかし、2008年に67・5億ユーロだった売上高が翌年には半減してしまいます。

2013年には、経済危機の影響による需要3割減と過剰な製造設備、加えて**中国企業によるダンピング**が業界全体を取り巻く状況にありました。同社が、単なるリストラでは乗り切れないことは明白でした。

「ANNUAL REPORT 2020」によれば、従業員数7300人、売上高51・3億ユーロ、デジタル営業率45%、顧客数10万社、13か国で事業を展開しています。事業内容としては、

平板、チューブ、コイルといった商品の販売、および金属の切削、表面研磨、その他の加工などのサービスを手掛けています。

2014年、CEOのGisbert Rühl（以下、リュール）は、新技術による梃入れをはかるため、米国シリコンバレーを訪問し、二つの洞察を得ました。簡単に書いてしまいましたが、ドイツ企業のトップが、別世界であるシリコンバレーに自ら赴き、最新の技術情報に接したということは大変なことだったと思います。実際に自分の目で見て得た洞察は、その後の戦略策定や実行過程で活きてくることでしょう。一般的な日本人経営者の場合、**海外視察に対して語学の壁や文系・理系の壁などのハードルがある**ようです。しかし、リュールを見習って勇気を持ち、一歩踏み出してはいかがでしょうか。

それでは、彼が訪問で得た洞察に話を戻しましょう。

グループ売上の60%をオンライン経由にする

リュール曰く、「一つ目は、デジタル化による自社にとっての競争優位の確立、すべてのサプライチェーン参加者の生産性向上です。二つ目は、プラットフォームは鉄鋼・金属の流通（B2B）においても支配的なビジネスモデルになるという予測でした」。

帰国したリュールは、2022年の野心的戦略として、「グループ売上の60%をオンライン経由にする」とぶち上げたのです。鉄鋼・金属は、その商品属性から標準化はしているものの、顧客から特定の業種における専門性を要求されます。同社は長年の経験によってネットワークを構築してきたため、顧客の要求に応えることができたのです。

一方、流通業における売上高の75%は中小企業によるものです。同社がプラットフォームを形成すれば、個々の市場参加者、つまり中小企業をつなげる場になります。プラットフォームによって情報の流れが改善し、より正確な販売予測が可能となり、保管コストも下がるなど、双方にとってメリットがあると期待されたのです。

ところが、その試みは、当初はうまくいかなかったようです。なぜでしょうか。

筆者は、そもそもITを活用したプラットフォーム構築の専門的能力が社内に決定的に不足していたのではないかと推測しています。しかし、要因としてもっと重要なポイントがあると思われます。

それは同社が鉄鋼・金属という業界のリーディングカンパニーであることです。この業界は重厚長大産業の代表格であり、長期の需要予測を前提に大型の設備投資を必要とする産業です。おそらく、**長年の経験や知見を重視して、失敗を許容しない文化**が組織全体を支配していたのではないかと推測されます。そのような企業文化や業務慣行の下では、プラットフォーム構築に必要なトライ&エラーのアジャイル開発は望めません。

そこで彼は、**外部のコンサルティング会社を活用**し、スタートアップを別に設立するという意思決定をしました。これが良い結果を生むこととなります。トップ自らがシリコンバレーに足を運んだ成果だと言えるでしょう。

プラットフォーム型のビジネスをどう作っていくのか

リュール自ら『Radical Business Model Transformation』(Kogan Page、2020年)で、その開発段階について執筆しています。その一部を要約して紹介しましょう。

第一段階:鉄鋼の流通業からオンラインショップ、さらに市場機能へ

「別会社『クルクナー・i』を立ち上げて運用が始まると、サプライヤーと顧客を効率的につなぐために、本体のサプライチェーンをデジタル化する任務を負いました。新設会社は、最初にオンラインショップとデジタル契約ポータルを構築する必要があり、その機能が市場に拡大されました。

試行錯誤を経て、オンラインショップでは、最低注文量の設定なしで、必要な商品の発注ができるようになりました。在庫を積み上げるかどうかの選択肢も提供できるようになりました。また、特別な個別条件での発注も可能ですし、**リアルタイムの情報提供によって当該商品の入手の可否、納期もわかる**ようになったのです」とリュールは述べています。

これはユーザーにとって大きなメリットでしょう。自動化することで、最低発注量をなくす、あるいは、少量の取引の場合は利幅を引き上げることも考えられます。

当初は、「営業最前線（特に中小企業）では、ファクス・電話による見積り依頼」が多かったようです。こうした、顧客のアナログ行動は想定内であり、ファクス・電話に対応する仕組みも用意しました。

「営業の最前線では、顧客はプラットフォームを通じて、効率的にベストな見積りを得て、直接、システム上で発注できるというのが理想です。ところが、多くの顧客は彼ら自身の業務プロセスがデジタル化されておらず、電子メールやファクスを介した間接的なアクセスも受け付けていました」

それでも一旦利便性が理解されれば、デジタル化されたプラットフォームによって、契約や発注、納品管理まで一貫して行えるようになりました。その結果、手作業で発生していたエラーも激減したのです。

このシステムは一定のＩＴリテラシーがあれば誰でも使えるものですが、この例のように、最初はハードルが高いかもしれません。それでもメリットがデメリットを上回ることが次第に理解されれば、試してもらえるようになり、やがてリピートにつながります。

最近の日本におけるＢ２Ｂの事例では、電子認証サービスが挙げられると思います。契約締結に関わる**押印を電子認証サービスに変える**ことで、印紙代、郵送料、インク代を、担当者の作業に目を向ければ、書類を用意して、押印、書留郵送、返送されてきた書類のファイリング保管などに関わる手間（人件費）を大幅に節約できるのです。

クルクナーの開発現場については、このように述べています。

「ワークフローとプロセスの変革がスタートアップのスピード感で進められました。例えば、新商品や新サービスは、分析⇓構築⇓測定⇓学習⇓分析……のサイクルを回して開発され、プロトタイプが作られ、マーケティングや財務的な検討を経て意思決定がなされました」

スピード感がありますね。

「ビジネス分析ユニットは、オンライン営業を追跡して将来の顧客需要を予測し、その傾向を報告することで、グループレベルで在庫量を最適化し、投入する資本を減らすことができるようになりました」

こうした小さな積み重ねが**貸借対照表をスリム化し、フリーキャッシュフローの改善**に効いてきます。後ほど、確認してみましょう。

「さらに、情報を活用することで価格設定を適切にできるようになり、利幅が取れるようにもなりました」

将来的には、AＩの活用も視野に入れた様々な追加的収益の可能性を追求していく方針のようです。さらに次の段階を見ていきましょう。

GAFAを筆頭に行われる「反トラスト規制」を考える

第二段階：市場機能からオープンな業界プラットフォームへ

「オンラインショップの運営は、競合他社にとってはクルクナーのブランドでの販売、扱いに注意を要するビジネスデータにクルクナーが直接アクセスすることへの懸念が生じました。連邦カルテル局も同様の見解から、業界プラットフォームの資格要件（クルクナーとクルクナーiの情報隔絶）を課しました」。反トラスト規制ですね。

近年、ＧＡＦＡなどを対象に議論されているところです。反トラスト規制では、以前のように大企業から中小企業を守るなどの目的より、むしろ「競争者を排除する行為」によ

図表11　子会社とXOMの業務分野

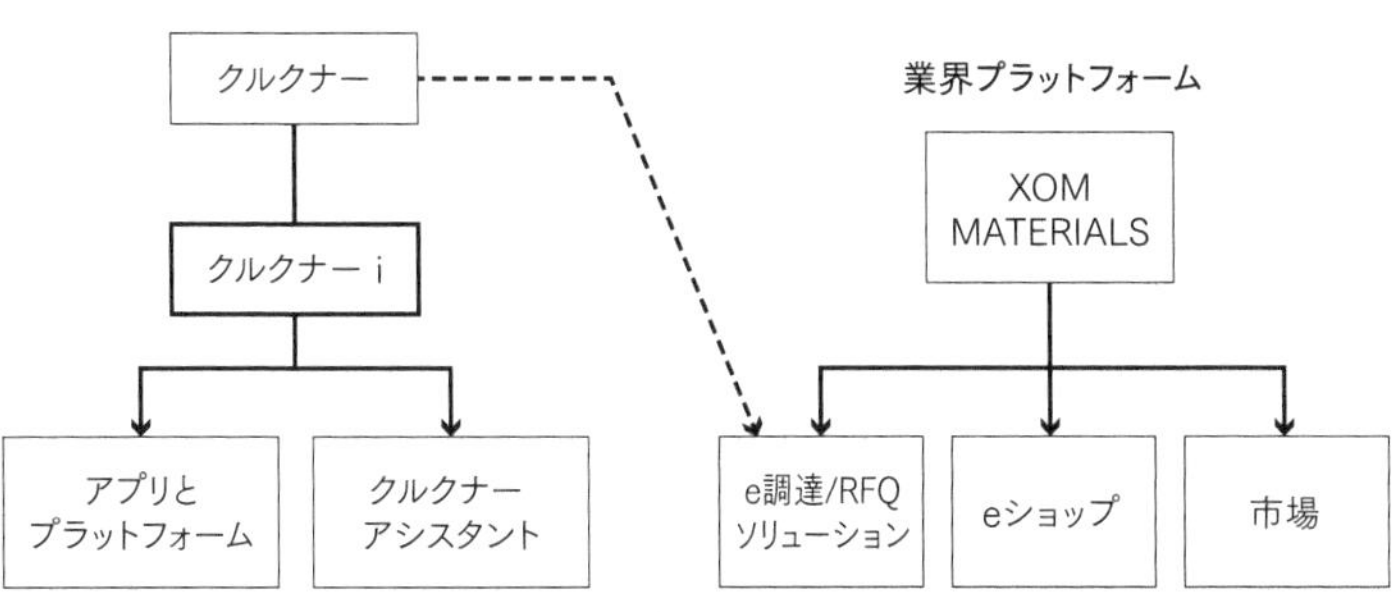

出所：「ANNUAL REPORT 2020」、Klöckner 社HPより作成

る独占に目が向けられているようです。折しも、**プラットフォームの雄であるアマゾン**は標準商品による水平的展開で参入してきました。

一方、別会社のクルクナーｉは、顧客が求める「親会社クルクナーによる加工サービスでのカスタマイズ」を指向しました。「クルクナーは、２０１７年に独立したプラットフォームであるXOM Materials GmbH（以下、ＸＯＭ）を設立することで、その中間を狙ったのです。その後、クルクナー本社がＸＯＭの株式を売却することで少数株主となり、連邦カルテル局から承認を得て、２０１８年、正式に事業を開始しました」

クルクナーとＸＯＭの業務分野は、図表11のように表現されています。

プラットフォームを社会実装するには、ＩＴリテラシーが必ずしも高くない市場参加者にどのように対応するかが子会社クルクナーｉの課題でした。そこで、従前からある方法（電子メール・ＰＤＦ）による見積り依頼や注文も、ＡＩ技術を導入することで、**見積書や注文請書を自動返信するシステム**を開発したのです。その効用は、単に手作業を減らしただけではなく、受発注者双方とも常に複雑で時間の掛かるプロセスを大幅に改善しました。

また、業界プラットフォームであるＸＯＭには、売買数量を自動的に照合し、直接の契約交渉、取り消しおよび有効数量と受注に関する最新情報へのアクセスを可能にする機能を持たせました。もちろん、競合社も使えます。

ＸＯＭでは、クルクナーにおける学習効果、開発したシステムが有効活用されているようです。前述した通り、反トラスト規制があるのでタイムリーな情報共有は許されませんが、人事交流はあるようで、企業文化の醸成やＩＴリテラシーの深化には相互にプラスではないかと思われます。

「後方では、流通業者にとって、ＸＯＭはマーケティングと取引費用の削減、在庫の削減につながり、また、自社独自のオンラインショップ開発のコストも抑えることができるので、サプライヤーとメーカーにとってもメリットがあります。さらに、第三者のサプライヤーは付加的サービスの提供で収入を得ることができるようにもなりました」と述べています。

図表12　主な経営指標の推移

	2016年度	2017年度	2020年度
従業員数	9,064	8,682	7,274
売上高(百万€)	5,730	6,292	5,130
出荷量(百万t)	6,149	6,135	4,873
EBITDA	196	220	52
フリーキャッシュフロー	21	81	99
正味運転資本	1,120	1,132	967
貸借対照表合計	2,897	2,886	2,613

出所:「ANNUAL REPORT 2020」、Klöckner 社HPより作成

これはプラットフォームという供給者と需要者が集う（つど）コミュニティに集まる情報を使うことで、**規模の小さな企業でも新しいビジネスを創出できる**可能性を意味します。

このようにプラットフォームのユーザーが、そこに参加している各ユーザーに影響を与えることを経済学では「(正の）ネットワーク効果」と言います。

最後に、このビジネスモデル・トランスフォーメーションが業績にどのように貢献したかを確認してみたいと思います。

景気後退による需要減や中国企業によるダンピング輸出によって、鉄鋼・金属業界における競争は厳しさを増している状況です。図表12をご覧ください。マクロ的な要因から売上高・出

荷量は減っていますが、それ以上に従業員数を減らしても事業が成り立っています。

財務的KPIを見るとEBITDA（利払い前・税引き前・減価償却前利益）は減っていますが、**より少ない正味運転資本**でフリーキャッシュフローはむしろ増えています。デジタル化の成果と業績への影響が見えてくるのではないでしょうか。

ウーバーに見る、需要と供給のバランス

ところで、プラットフォーム・ビジネスでは、「鶏が先か卵が先か」という問題がしばしば取り上げられます。

ウーバーのケースで考えてみましょう。ご存じの通り、ウーバーはマッチング・アプリです。日本では規制によって「白タク行為」にあたるので営業できませんが、アメリカでは車で目的地まで行きたい人と、自分の車に乗せて利益を得たい人とがマッチングできます。

まず、タクシーの代わりにウーバーを利用したい人は、アプリから現在地と目的地の情報を送信します。

もし近くに多くの利用希望者がいるのに対し、ドライバーの数が少ない場合、待ち時間

が長くなり、「長く待たされた。使えない！」という情報が拡散してしまいます。逆に、自家用車を綺麗に清掃して準備万端で待っているのに、一日数件の依頼だったら、ドライバーは「これでは生活できない！」と他の仕事を探すことでしょう。

これは需要と供給の量のミスマッチ問題ですが、期待するサービス内容についても同様のことが言えます。供給できるサービスを的確に表示し、需要側の期待に応えられるようにしなければなりません。したがって、**需要サイドと供給サイドの質・量ともにバランスの取れた成長**が必要なのです。

「質」を維持するためには、一定のルールの設定と参加・利用者への告知、取引状況のモニタリング、そしてルールを破った時の警告や罰則の執行を通して秩序を維持するガバナンスが必要です。プラットフォームというとＩＴの世界のものと考えがちですが、商品やサービスの提供者と消費者をつなぐ場ですので、いわば「市場」です。

市場で無法者が暴れると市場参加者に迷惑がかかり、それを嫌う人は訪れなくなり、参加者が減ると、十分に市場の機能が果たせなくなります。最悪の場合、市場そのものを乗っ取られてしまうこともあります。これはネット上でも、リアルでも同じことです。

実際にサービスを開始すると、想定内のことだけでなく、想定外のことが起きるものです。参加企業の多くが中小企業であることから想定内だったと思われますが、クルクナーのリュールによれば、「デジタル化が十分に整っていなかったり、製品の名称が会社でまちまちだったりといった問題が起きました。後者の場合、カテゴリーや追加的パラメーターの提示などの対策をとることで解決したようです」。

いずれにせよ、IT業界では素早い意思決定によるソフトウェア開発（アジャイル）が成功の鍵となります。

「なお、購入者はXOMの利用は無料で、販売者が取引に関わる手数料をXOMに支払う仕組みとなっています」

これは需要と供給、平たく言えば力関係を反映します。アパートなど賃貸住宅を借りる場合、（地域の慣行にもよりますが）以前は、不動産屋は大家と賃借人の両方から仲介手数料を取っていました。しかし、供給量が需要を上回ると、不動産屋は仲介手数料を大家だけから取るようになりました。プラットフォームにおいても、**誰に、いつ、どのように課金するか**は、前述した需要と供給のバランスを保つ上でも重要な意思決定事項です。

デジタル化の鍵は企業文化の変革にあり

思えば、重厚長大産業に長く従事してきた従業員にデジタル化の必要性を納得させて、日々の業務でデジタルツールを使うようにさせるのは並大抵のことではなかったと推測されます。「ANNUAL REPORT 2020」によれば、クルクナーは、デジタル化の鍵となる要因として企業文化の変革を挙げています。

すなわち、事業のデジタル化は、クルクナーにおける根本的な文化の変革と不可分の関係にあり、従業員はデジタル化戦略を理解し、それがもたらす勢いに適応しているということです。同社の他部門でも、スタートアップの現場から革新的な作業方法を体系的に確立するとともに、クルクナーと各国の組織単位との間の深い交流を促進しているとしています。

その具体的施策として、Yammer and Digital Academy というプログラムを創設し、様々なツールを活用して社員教育を行っています。

コミュニティサイトであるデジタルアカデミーには1200人以上がサインアップし、30科目以上から構成されるカリキュラム、延べ100時間を超えるコンテンツがあり、大学とのコラボレーションもあるようです。

もちろん、就業時間内で受講ができます。これらの施策は、**社内での仕事のやり方においてイノベーティブでデジタルな方法を定着させる**ことに大きく貢献していると思われます。

こうした企業文化を含めたビジネスモデル・トランスフォーメーションは、リュールのリーダーシップなしにはなしえなかったでしょう。

参考までに、E・H・シャインが『企業文化　改訂版』（白桃書房、2016年）の中で、変革と学習の動機づけを行う「チェンジ・リーダー」に求められる特徴として挙げているポイントを紹介しましょう。

①信頼性、②明確なビジョン、③ビジョンを明確に示す能力、④組織の発展段階ごとに文化ダイナミクスが異なることを理解すること、⑤組織の創業からの年数、規模、ビジネス／技術／文化などの状況を考慮した変革プログラムを計画・実行するために必要な管理プロセスの構築能力です。

とりわけ、チェンジ・エージェント（変革チーム）にとっては、④と⑤が重要だと指摘しています。細心の注意を払った**オーダーメードの計画策定と実行が必要**だということですね。

参考文献

網倉久永・新宅純二郎（２０１１）『経営戦略入門』日本経済新聞出版社

古森重隆（２０１３）『魂の経営』東洋経済新報社

Grant, Robert M. (2016) *Contemporary Strategy Analysis*, John Wiley & Sons Limited（加瀬公夫監訳『グラント現代戦略分析 第2版』中央経済社、２０１９年）

Parker, Geoffrey G. et al. (2016) *Platform Revolution: How Networked Markets Are Transforming the Economy And How to Make Them Work for You*, WW Norton & Co.（妹尾堅一朗監訳『プラットフォーム・レボリューション 未知の巨大なライバルとの競争に勝つために』ダイヤモンド社、２０１８年）

Klöckner & Co SEのホームページ：Homepage | Klöckner & Co SE

Klöckner & Co SEの年次報告書：Investors | Klöckner & Co SE (kloeckner.com)

Linz, C., Müller-Stewens, G. and Zimmermann, A. (2020) *Radical Business Model Transformation*, KoganPage

Schein, Edgar H. (2016) *Organizational Culture and Leadership*, John Wiley & Sons Limited（尾川丈一監訳『企業文化 改訂版 ダイバーシティと文化の仕組み』白桃書房、２０１６年）

Teece, David J. (2007-2014) *A Dynamic Capabilities-based Entrepreneurial Theory*, John Wiley & Sons etc.（菊澤研宗・橋本倫明・姜理恵訳『D・J・ティース ダイナミック・ケイパビリティの企業理論』中央経済社、２０１９年）

まとめ

○企業間競争では、攻める新参者だけでなく、受けて立つ既存企業も、ビジネスモデルを変容することが必要となる

○富士フイルムは、主力のフィルム事業が急激に縮小する環境で、自社の技術を活用した大胆な事業転換に成功した

○鉄鋼・金属の商社である独クルクナーは、ＩＴを活用するプラットフォーマーに生まれ変われた好事例。企業文化の変革とリーダーの役割は、企業変革のポイントとなっている

4章

最も弱いスキルを鍛えない限り、成長はない

月面へ行くという「ピーク・パフォーマンス」効果

本章では、まず「人生の生産性とは何か」を話したいと思います。その上で、これからの時代、学び直しに不可欠であり、磨くべき「個人スキル」を6点挙げてみます。そして、現代のビジネスではチームプレーが基本です。最後に**あなたのピーク・パフォーマンスを高める**ためにチームワークを支える五つの「集団スキル」について話しましょう。

まず、「人生の生産性」に関する昔からのアドバイスを二つ紹介しましょう。

一つ目は「凧揚げ実験」で有名なベンジャミン・フランクリンの人生哲学です。フランクリンが1758年に書いた、「富に至る道」というエッセイがあります。そこには、彼の人生に関する哲学が描かれています。

フランクリンが挙げるのは、基本的に四つの基礎「努力、倹約、用心、謙虚」です。フランクリンは、例えば、早起きを勧めるために「寝坊する狐は鶏が採れない」と、かわいらしい格言を引用して説明しています。

二つ目は、1章でも取り上げたNASAのチャールズ・ガーフィールドの言葉です。ガーフィールドは、ベストを尽くす（彼によれば「ピーク・パフォーマンス」）には、五つの鍵がある、と述べています。「使命感、目標、切磋琢磨（フィードバック）、応援、褒美」です。ガーフィールドが「ピーク・パフォーマンス」という呼び方を選んだきっかけは、あるピアニストから聞いた話でした。

そのピアニストは癌を患っていました。彼は、**どのようにしたら癌に勝てるか**を考え、入院中ずっと頑張り抜いてメンタル的に戦ったといいます。彼は言いました。

「それが、自分にとって最高のパフォーマンスだった」

この二つの哲学はいずれも素晴らしいものです。しかしながら、これらはチェックリストに過ぎません。要因間の相互関係を説明していない、つまり理論まで至っていないからです。

さらに、理論的に考えてみましょう。

数字音痴や話下手……苦手では済まされない

私は、２００８年に書いた『一流アナリストの「７つ道具」』という本で、七つ道具の話をしました。次に出した『フェルドマン式知的生産術』（プレジデント社、２０１２年）ではもう一つの道具を加え、八つの道具としました。

それらは「分析力、人間力、プレゼン力、数字力、熱意、言語力、商売力、結合力」です。これらは単にポイントを列挙しただけのものではありません。その**相互関係は足し算ではなく、掛け算**なのです。つまり、一つの「道具＝スキル」がいくら強くても、他のスキルがゼロであれば、総合力はゼロということです。

例えば、いくら分析力があっても、人間力がなければ総合力は上がりません。「八つの道具」は掛け算の関係である以上、不都合なことがあります。すなわち、自分の最も弱いスキルを磨かないと総合力が上がらない、ということです。

ここで、八つの道具のうち、二つについて例を挙げて考えてみましょう。

まずは、「数字力」です。「真理値表」というものがあります。図表13を見てください。縦軸と横軸があります。横軸は、ある検査の結果が陽性か陰性かを示し、縦軸は、実際に病気か健康かを示しています。例えば、癌検査を受けた結果、陽性だとします。本当に癌になっている確率はどれくらいでしょうか。ちょっと計算しましょう。

陽性で病気にかかっている人の数はａです。陰性で病気にかかっている人の数はｂ、陰性で健康な人はｃ、陽性で健康な人はｄです。そうすると、「あなたは陽性です」と言われたら、病気である確率はどれくらいでしょうか。陽性であるということは、ａかｄかです。「ａは、ａ＋ｄのうち何％か」という計算です。

図表13　数字力テスト「癌の確率」

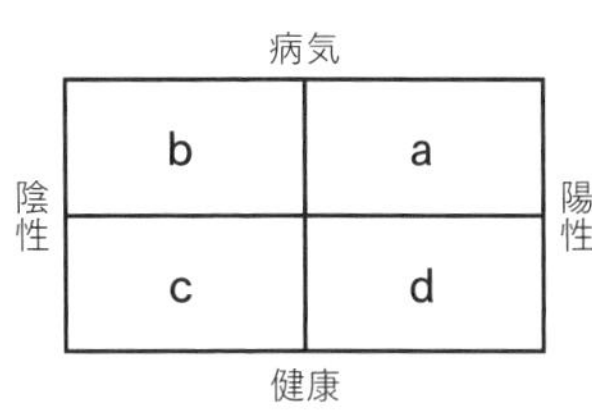

出所：筆者作成

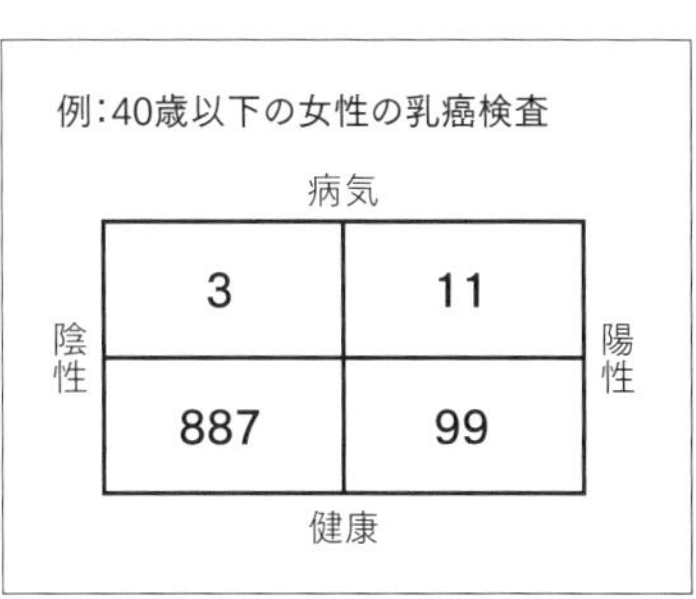

出所：Silver (2013), “The Signal and the Noise”, Penguin

アメリカの実例を使って、計算してみましょう。40歳以下の女性の乳癌検査の結果です。標本数は1000人です。陽性で病気である人は11人。陰性でも実は病気である人は3人。陰性で健康である人は887人。陽性で健康である人は99人。そうすると、陽性の人は110人（11＋99人）。その中で実際に病気である人は11人しかいません。すなわち**陽性でも、実際に病気になっている確率は10％**で、90％は健康です。いわゆる偽陽性率が90％ということになります。この結果から、もっと正確な検査方法が必要だということがわかります。一方、「陰性です」と言われた場合、健康である確率は99・66％です。計算式は、887÷（887＋3）×100≒99・66％。

　こういう計算ができることが、数字力の一つです。この例は多少難しいですが、要は「正確に数字を使いましょう」ということがポイントです。

次は、「熱意」の例です。私は、ウォール街（証券業界）に入った時、**どのようにウォール街で成功するか**ということをずっと考えていました。当時の「ウォール街の帝王」と言われたジョン・グッドフレンド氏が、私が入社した会社の社長でした。彼の名言があります。「ウォール街での成功には、毎朝、熊の尻に噛みつく勢いで出勤することだ」

これこそ「熱意」をよく表した言葉でしょう。さらに、「熱意」にはもう一つの側面があります。それは健康管理です。健康をうまく管理できなければ、良い結果を出せないからです。

ここまでいくつかのスキルについて話してきました。ただし、あくまでも個人レベルの話です。個人と個人が、どのように絡み合って、どのように良いチームを作るか。グローバル時代のビジネスにはチームワークが欠かせません。

チームワークを良くする「個人スキル」を磨く

少し頭の体操をしてみましょう。図表14を見てください。五つのノード（点）がありますね。点をつなぐ紐帯（線）もあります。大きいノードは個人の総合力が優秀な人、小さいノードは、そうではない人を意味します。

紐帯は、2種類あります。一つは実線、もう一つは破線です。実線は、チームの中のコミュニケーション量です。太い実線はコミュニケーションをたくさんとっている組み合わせ、細い実線はあまりコミュニケーションが少ない組み合わせです。一方、破線は外部情報を取り入れているかどうかです。この図はあるチームの相互関係を表しています。いかがでしょう、これは良いチームでしょうか。答えは、本章の後半に紹介します。

チームワークを良くするには、集団スキルが大事ですが、その前提として個人のスキルが必要です。まず6点の個人スキルの話をしましょう。

図表14　チームの相互関係

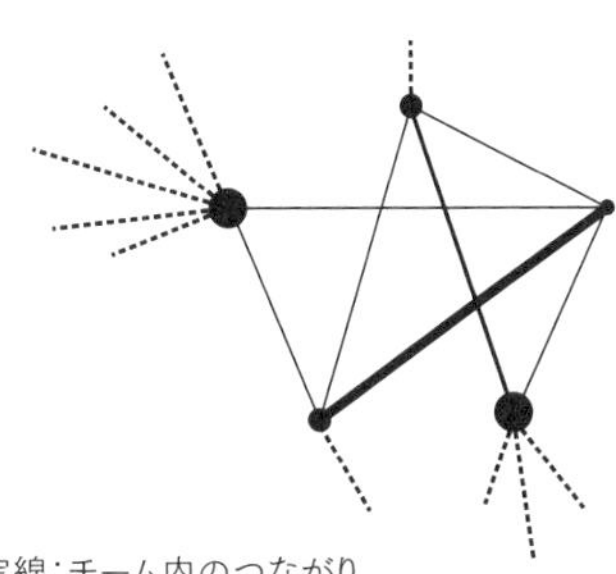

実線：チーム内のつながり
破線：外部とのつながり　　出所：筆者作成

まず、その1は、周りを見て何が起きているかを読み取るスキルです。日本では「空気を読む」という表現もありますが、**行動パターン、雲行きがわかるか**、ということです。

この問題をうまく書いている本が、『観察力を磨く　名画読解』（早川書房、2016年）です。著者であるエイミー・E・ハーマン氏はFBI、CIA

など警察関連の職員のトレーニングをしている方です。

ハーマン氏のトレーニングは、トレーニングを受ける人たちを美術館に連れて行き、絵画の前に座らせ、「2、3時間、同じ絵画を見なさい」という指示を出すものです。絵画を**見れば見るほど、色々なことがわかる**ということがポイントです。

図表15　洞察力の訓練は絵画で

出所："Automat, 1927 by Edward Hopper," edwardhopper.net

例えば、図表15の油絵では、ある女性が喫茶店で座っています。この絵画がいつ頃描かれたものかを推理してください。

ヒントはたくさんあります。まず左下にあるのは放熱器。これは最近のものではありませんが、大昔のものでもありませんね。窓ガラスに映る明かりも大昔のものではありません。そして、大きい窓ガラス。２００年前には作る技術がなかったものです。

女性のファッションはどうでしょうか。ファッションに詳しくない人でも、わかる証拠があります。この女性は足を見せています。20世紀以前にはなかったファッションですから、20世紀に入ってから描かれた作品だということがわかります。つまり、放熱器、窓ガラス、ファッションなどから判断すると、「20世紀前半」の作品ではないかと推測されます。答えは、1927年に描かれたエドワード・ホッパー氏の絵画です。

観察力は非常に大事です。チームメンバーがしっかりと観察して、色々気が付いているということが、チームワークを支える個人スキルの一つです。


第2のスキルは、徹底してわかりやすい文章を書くコミュニケーション力です。犬と猫の例を挙げましょう。猫に「取って来い」と命じても意味はありません。猫にはその概念がないからです。犬なら、すぐわかります。

人間も同じです。例えば、「野球の大谷のようだ」と言えば、アメリカ人や日本人であれば、みんなわかるでしょう。しかし、相手が欧州人であれば、大谷のことがわかるどころか、野球さえわからない人が多いので通じません。欧州人と話す時は、「大谷のよう」と言わずに、「メッシのよう」と言うべきです。つまり、相手がわかる比喩を使わなければ言いたいことは伝わりません。この点を理解し、的確な比喩を使えることが、コミュニケーション力・意思疎通力なのです。

さらに、修辞技法も効果的です。その一つは、**同じ言葉を繰り返す**こと。あるいは同じ言葉を、間をあけて繰り返す技法です。例えば、ジェームズ・ボンドが自己紹介する時は、

「ボンドです……ジェームズ・ボンド」と言います。この際、ゆっくり話した方がよいでしょう。普通に話すより3分の1くらいのスピードでよいかと思います。

並列構造も役に立ちます。修辞技法の名人はキング牧師です。

「Our scientific ability has outpaced our moral ability. We have guided missiles but misguided men.」。訳すと、「人類の科学力は道徳力を超えた。ミサイルは誘導できるが、道を誤っている人が多い」。比喩、並列構造、押韻も入っている、見本のようなキング牧師の文章です。この、キング牧師の「I have a dream.」という有名なスピーチは、日本語の字幕も入り、インターネットで簡単に見ることができます。

もう一つの良い例は、イギリスのサッチャー首相です。彼女の有名なスピーチの中に、「In politics, if you want anything said, ask a man. If you want anything done, ask a woman.」という文章があります。訳すと、「政治の世界では、何か言ってほしいことがあれば男性に頼みなさい。やってほしいことがあれば女性に頼みなさい」。

中身はデタラメですが、修辞技法としては**並列構造が極めて印象的**ですね。

話し方だけではありません。わかりやすい文章を書くこともちろん意思疎通力の一つです。文章の書き方についての本は、英語でも日本語でもたくさんありますが、推薦できる一冊は、『ザ・エレメンツ・オブ・スタイル(The Elements of Style)』(Strunk, William & E. B. White、1959年)という本で、邦訳もされています。

非常に役に立つ**簡単な、命令形のルール**が書かれています。一番好きなルールは、「不要語彙を省け!」です。他には、「修正して書き直せ!」「読者を知れ!」「具体的な語彙を利用しろ!」「修飾語句は避けろ!」などです。これらのルールを忠実に守れば、わかりやすい文章になります。

例えば、「読者を知れ!」のルールです。数学者がビジネスマンに話す時、数式で表現しても通じません。しかし、数学者が難しい数式を左にして、右に「=5000億ドル」と書けば、ビジネスマンはすぐわかります。このようにできる数学者は、本当に頭がいいと思います。すなわち、「相手が大事にしていること」に概念を合わせるのです。簡潔な文章の名人であるアーネスト・ヘミングウェイの『老人と海』を真似すれば良いのです。

時間を管理できない者は、何ひとつ成し遂げられない

三つ目のスキルは時間の使い方であり、その時間管理力には、二つの種類があります。短期的な時間管理力と長期的な時間管理力です。

図表16　時間管理の計画：短期と中長期

Mgt Stuff	Next Step
My35	Tracking
FSA	Day-1 Pack
RA Offsite	工程表

Econ Stuff	Next Step
GEF: Oil	Read Hubbert
FID Conf	工程表
Handout Red	PPT file

Family Stuff	
Foot Doctor	8/31 appt
APS event	10-Oct

Errands	
携帯 holder	Buy
電話教室	Call NTT

GEF Ideas
Oil vs. Rice in CPI
Anti Trust Law
Ag reform and FTA

Travel Plans	
8/22-25	Sing/HK
9/11-12	Hakone FID
Oct12-25	Eur-US

Topics

ASIJ Vac.	WBS Weeks
	10/25-29

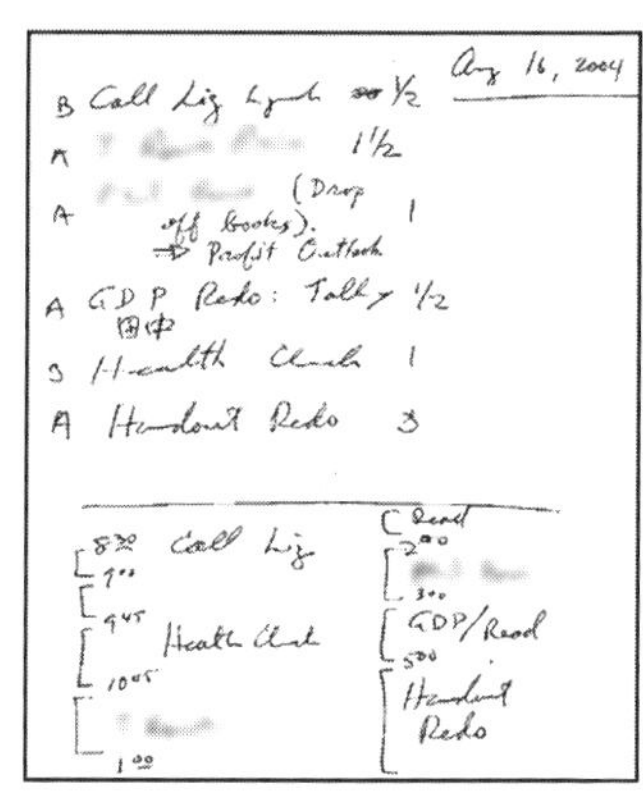

出所：筆者作成

図表16（右）に短期的な時間管理力の例を載せています。実は、もう**30年間、私がほぼ毎日続けていること**です。すなわち、一日のスケジュールを前の晩に書くことです。

この例は、2004年8月16日のスケジュールです。上に、やるべきことを列挙しています。各項目にある文字と数字は、優先順位とかかる時間です。時間帯が決まっている会合もあります。この情報を使って、下に書かれているスケジュールを作成します。これができていると、朝起きたとたんに有効に時間が使えます。一日が2時間程長くなるようです。

長期スケジュール（左図）は、やや難しいです。まず、今後6か月間どのような課題に取り組むかを、プロジェクトごとにグルーピングします。各プロジェクトの中に、「次のステップ」を書きます。

上にあるのは、2006年頃のものです。例えば、「GEF Oil」は原油市場のレポート。次のステップは、「Read Hubbert」（＝ハバート氏の本を読む）です。

チームでプロジェクトを進めている限り、自分の担当分を締め切りまでに済ませなければなりません。そのためには、長期の計画が必要です。すなわち、生産性の高いチームになるには、各メンバーが自分の時間を有効に利用することが不可欠です。さもないと、他のメンバーの時間を無駄遣いさせて迷惑をかけることになります。

スキルその4、睡眠力についてはとてもシンプルです。とにかく、「8時間寝ましょう」ということです。睡眠の中には、**レム睡眠とノンレム睡眠**があります。レム睡眠の役割は、想像力、同情心、洞察力を支えることです。

ノンレム睡眠は記憶の構築・淘汰のために必要です。もちろん両方の睡眠をとらないといけません。

近年の睡眠研究では、非常に面白いことがわかってきました。寝入った時はノンレム睡眠が多く、睡眠時間が長くなればなるほど、レム睡眠の割合が増えるということです。

睡眠時間が6時間ではレム睡眠はかなり不足し、8時間寝ないとレム睡眠は十分とれないというのが、最近の研究結果です。これに関しては、マシュー・ウォーカー著の『睡眠こそ最強の解決策である』（ＳＢクリエイティブ、２０１８年）という本が参考になります。
とにかく、十分に睡眠をとることは、集中力、協力心、健康にも良いことです。その結果、自分の生産性も、チームの生産性も上がっていくのです。ところで、**先進国の中で一番寝ていない国民は日本人**です。

あなたに黙っている権利はない

筆者（フェルドマン）は20年間もテレビ東京系列の「ワールドビジネスサテライト」に出演していました。30年以上続く、素晴らしい長寿番組です。長く続いている秘訣の一つは、反省会ではないかと私は思っています。毎日、番組が終わるとすぐ反省会を開き、その日の番組の良かったところ、悪かったところをチーム全員（数十人）で共有するのです。ということで、５番目のスキルは反省力です。

15年ぐらい前のことです。ある日、ビジネスジェットの特集がありました。映像の中にある上場会社のロゴが映し出されると、番組の途中で電話が入ったのです。その上場会社からでした。

「なぜ弊社のロゴを出したのですか。弊社は、ビジネスジェットは保有していません」というクレームでした。

プロデューサーは激怒しました。「会社のロゴを出す限りは、ストーリーと関係している会社じゃないとダメでしょ」と。担当者は皆の前でお詫びをするしかありませんでした。しかし、「他の人も気が付くべきだった」という人もたくさんいました。良いチームは、共同責任で動いています。その人ばかりを責めても仕方ありません。

アメリカの格言に、「穴に陥ったら、まずやらねばならないことは、掘ることを止めることだ」というものがあります。反省会はこの能力を育成するのです。

忖度(そんたく)は組織の毒です。「集団思考」を避けないといけません。「集団思考」とは、チーム内の圧力から発生し、**知的機能の低下、事実認識の悪化、道徳的判断力の低下**をもたらすのです。

悲惨な例は、1961年のケネディ大統領の大きな失敗です。

当時キューバを治めていたのは、カストロ率いる共産党でした。これはアメリカにとって脅威であると、CIA、軍隊などは認識していました。トップの軍人たちは、「キューバに侵略すべきだ」とケネディ大統領に進言したのです。ただし、「アメリカ軍が侵略するのではなく、キューバから亡命してきた人たちが侵略をすれば、キューバ国民がカストロを追い出すだろう」というアイデアでした。これは大きな過ちでした。問題は、トップの軍人たちもＣＩＡも自分のことばかり考える、いわゆる「エコー・チェンバー」になっていたことです。相手がどう反応するかという情報も十分なく、相手の武力、国民のカストロ支持を過小評価していたのです。傲慢ですね。

結果として約１００人が死亡し、キューバの共産主義基盤はかえって強くなりました。笑ったのはカストロとソ連のフルシチョフだけでした。ケネディのチームには、「反論力」が欠けていたのです。

「集団思考」に陥ってしまうチームは、**自分たちだけが良い、自分たちだけが賢い**、自分たちだけに正義があると思い込んでしまうきらいがあるようです。とても危ないことです。

トップは、仲間から「変なことを言ってる」と指摘されたら歓迎すべきなのです。忠実なチームメンバーは、反論する。素晴らしい成果を上げたヘッジファンドの投資家であるレイ・ダリオ氏は、「異論があれば黙っている権利はない」と部下に指導しています。これこそチームワークです。スキルの６、最後は反論力でした。

飛行機事故に対応できたチームワークの作り方

素晴らしいチームワークの例を紹介しましょう。

2010年11月4日、オーストラリアの航空会社カンタス航空のQF32便に危機が訪れました。QF32便は、極めて大きいエアバスA380。同便がシドニーに向けてシンガポールのチャンギ空港から離陸した直後、エンジン一基が爆発したのです。翼も他のエンジンも被害を受けました。

幸いなことに、飛行機はまだある程度コントロールできる状態でした。パイロットと乗組員が色々調べた結果、このサイズと重量の飛行機を着陸させるには**滑走路は3900メートル必要**だということでした。シンガポールのチャンギ空港の一番長い滑走路は、4000メートル。状況を確認した後、機長は腹を括り（くく）ました。「この飛行機は大きなセスナだ」。エアバスA380をセスナとして着陸させるのは至難の業です。

滑走路の長さを確認した後、「よし。やるぞ」と機長が言いました。無事に着陸し、飛行機が止まってから、乗組員は、「シンガポールにようこそ。ただいまの時刻は現地時間12時5分前です。めったにない、素晴らしい着陸であった、と皆さまも同意するでしょう」と、機内放送しました。

この事故の教訓は、危機が発生している際、全体像を把握する構想（モデル）を頭の中に入れているかということです。

同便の機長はユニークな人物でした。離陸する前に必ず乗組員を集めて、一定の質問をします。そして、「問題があれば何をするか、前もって頭の中に入れておきなさい」と指導するのです。例えば、「エンジンが壊れた場合どうするか、どの点を見れば良いか、答えなさい」というような質問です。

「我々の仕事は、**何が起こりうるかを前もって考える**ことだ。何かおかしいと思ったら、それを教える責任がある。私が間違ったことをやっていると思ったら、それを言いなさい」と機長は指導していました。機長が意見を言いやすい雰囲気を作り上げていたからこそ、事故にうまく対応ができた。

一方、未然に防げたはずの悲劇的な飛行機事故もあります。２００９年６月１日、エールフランスのＡＦ４４７便は、ブラジルからフランスへ向かう途中、南大西洋の上空から墜落、全員が死亡しました。何が起きたのでしょうか。

長時間のフライトだったため、着陸担当である機長が、離陸後に睡眠をとりに行きました。コックピットに残った副操縦士らは、明らかに異変が起きているのに、意思疎通がうまくいかなかったのです。機体がどう飛んでいるかまったくわからないまま、機長を起こして呼んで来るまでに高度はかなり下がってしまいました。操縦ミスもあり、ようやく機体の状態がわかった時にはすでに遅かったのです。

飛行機事故は極めてドラマチックなケースですが、普通の会社のチームワークにも同じような問題は発生します。事故を予防するには、チームワークを促す集団スキル、すなわち、**各チームメンバーの絡み合う構造とルール**が必要です。

では、次にその集団スキルについて説明しましょう。

縦割りが健全な組織を破壊する

まず、縦の関係、横の関係の比重を理解することです。

チームとは何かという定義から考えてみましょう。チームとは、「同じ目標に向かって、互いに総合的に機能する人間の集まり」と定義していいでしょう。

さらに、集団の構造も理解しておかなければなりません。

次ページ図表17の上の図はピラミッド型ですが、直下のレベル、2番目のレベル、3番目のレベルはあまりつながっておらず、縦のつながりがほとんどありません。横のつながりも、あるにはありますが弱いものです。

図表17　縦割り組織とフラットなチームの違い

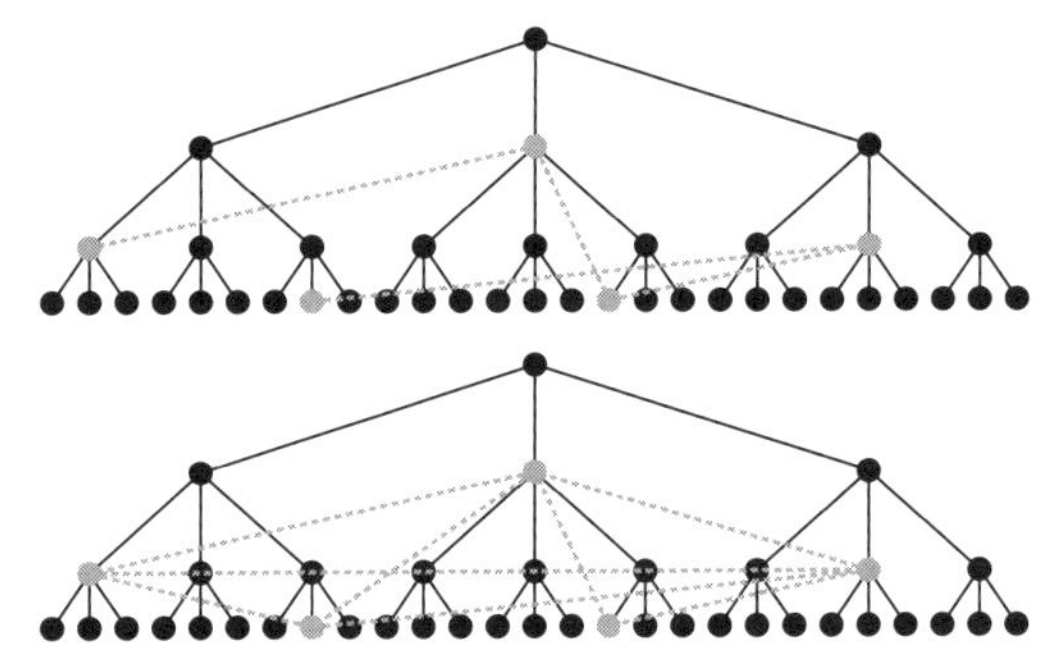

注：実線は上下関係、破線は非公式関係を表す。　出所：筆者作成

一方、下の図は、横のつながりがより多く、密接です。やはり、日々の活動の中でチームの人たちが**たくさんコミュニケーションをとっていることがチームの良い形**です。その理由は、自分の職場以外の情報がより多く入るからです。これは集団構造の把握力です。

反面教師は、テロリストがワールドトレードセンターなどアメリカを代表する建物に飛行機で突っ込んだ「9・11事件」です。CIA、FBI、警察当局には十分情報があったのに、事前に阻止することはできませんでした。後になって調べたところ、組織間の情報共有がほとんどされていなかったことがわかりました。

事件後にも大きな問題が浮かび上がりました。緊急対応を担当する各官庁（警察、消防署、病院など）は六つありましたが、例えば消防署と警察、それぞれが使用している無線が通じなかったのです。とんでもない縦割り行政の大過と言えましょう。

良くないと誰もがわかっているのに、縦割り組織はなぜ存在するのでしょうか。確かに、いくつかのメリットもあるからです。日々の活動の情報検索コストが低く、情報処理コストも低い。その上、組織の記憶力があり、責任者と指揮命令系統がはっきりしています。

しかし、デメリットの方が格段に多いのです。まず、派閥を作ってしまう。視野が狭くなる。各部署の間のコミュニケーションが少なくなる。組織全体の意思決定に時間がかかる。情報を隠蔽して、**権力争いに利用するきらい**もある。その結果、社会利益どころか、組織利益さえも犠牲になるのです。

縦割り組織にどのような成功と失敗があったのかに関して、『サイロ・エフェクト』（文藝春秋、2019年）という本があります。著者のジリアン・テット氏は、フィナンシャル・タイムズ紙アメリカ版編集長であり、人類学の博士号を持っています。

この本には、縦割り構造の悪い点をなくしていくためのアドバイスがたくさん書かれています。読み込むと、やはり情報の流れを刺激することがポイントだということがわかります。

日本の歴史書の中にも、縦割り組織を分析した傑作があります。歴史家の堀田江理氏による『１９４１　決意なき開戦』（人文書院、２０１６年）です。この本は、縦割り組織がいかに大きな被害をもたらすかを正確に伝えています。

人は性欲やお金より、承認と称賛が欲しい

人間が組織の中で動くときには、やはり動機が必要です。人間は、自分が得することがなければ動かない動物なのです。動機づけに関しては、基本的に二つの考え方があります。

一つ目は、１９５９年にヒットしたロック曲で歌われています。バレット・ストロング（Barrett Strong）氏作曲の「Money (That's What I Want)」、「欲しいのは金だ」というタイトルです。

この曲に共感する人も一定数いるでしょう。

二つ目は、化粧品業界の女王であったメアリー・ケイ・アッシュ（Mary Kay Ash）氏の考え方です。ピンク色の大型キャデラックに乗るなど、物欲がとても強かった方です。けれど、社長として、社員に対しては「動機づけはお金だけではない」と理解していました。「人間は性欲と金欲を満たすよりは、承認と称賛が欲しい」と言い切ったのです。すなわち、お金も大事ですが、人間は**自分の価値を認めてほしい、自分を称賛してほしい**のです。

アッシュ氏は、これを動機づけにしました。「今月のセールス大賞」「今月の接客賞」などを作り、創業した1963年には20万ドルだった売上を、1995年までに10億ドルに押し上げたのです。まるで「新興宗教のようだ」という批判はありましたが、「承認と称賛」に関するアッシュ社長の指摘は正しいと言えるでしょう。

P101の図表14をもう一度見てください。あるチームのコミュニケーションを表しています。5人のメンバーの能力はそれぞれですが、ポイントは参加者のコミュニケーション構造です。このチームの図では、二人は非常によくコミュニケーションをとっています。太い紐帯（線）で表しています。しかし、他に太い紐帯はなく、互いに全く話していないメンバーもいます。

一方外部との関係を見ると、中で強くつながっている人は外部とのつながりがほとんどありません。一方、**中であまりつながっていない人は外部とのつながりが多い**ことがわかります。理科大MOTの授業で、このチーム構造の図を学生に見せて質問しました。「これは良いチームだと思うか」。全員が本能的に「ダメだ」と答えました。

このようなチーム構造を正式に科学的に調べたのは、マサチューセッツ工科大学メディアラボのアレックス・ペントランド教授です。ペントランド教授は、ビッグ・データ分析の結果と他の研究結果を基に次のような理論を導き出し、『ソーシャル物理学』(草思社、2015年)という本で紹介しました。

パフォーマンス(すなわち目標達成度)には三つの決定要因があります。

一つ目は「エナジー」、情報量です。つまり、**チームメンバーがたくさん話しているかどうか**ということです。

二つ目は「参加の歪み」。すなわち情報の流れに歪みがあるかどうか、ということです。決まった人だけが話して、他の人が黙っているかどうかです。もちろん、歪みが少ない方がいいのです。

三つ目は「探索度」。すなわち外部情報を広く取り入れているかどうか、です。

リーダーはメンバーへどんどん情報を伝達せよ

このペントランド教授の理論を背景に、リーダーは何をすべきかということを考えましょう。リーダーの正しい行動は、「お前、こうやれ!」ではありません。むしろ、まずたくさん話すこと。次に、全員に均等に話すこと。そして、外部情報をたくさん取り入れることです。最後に、全員を同じように行動させることです。

図表18　教授から話すゼミはアイデアが止まる

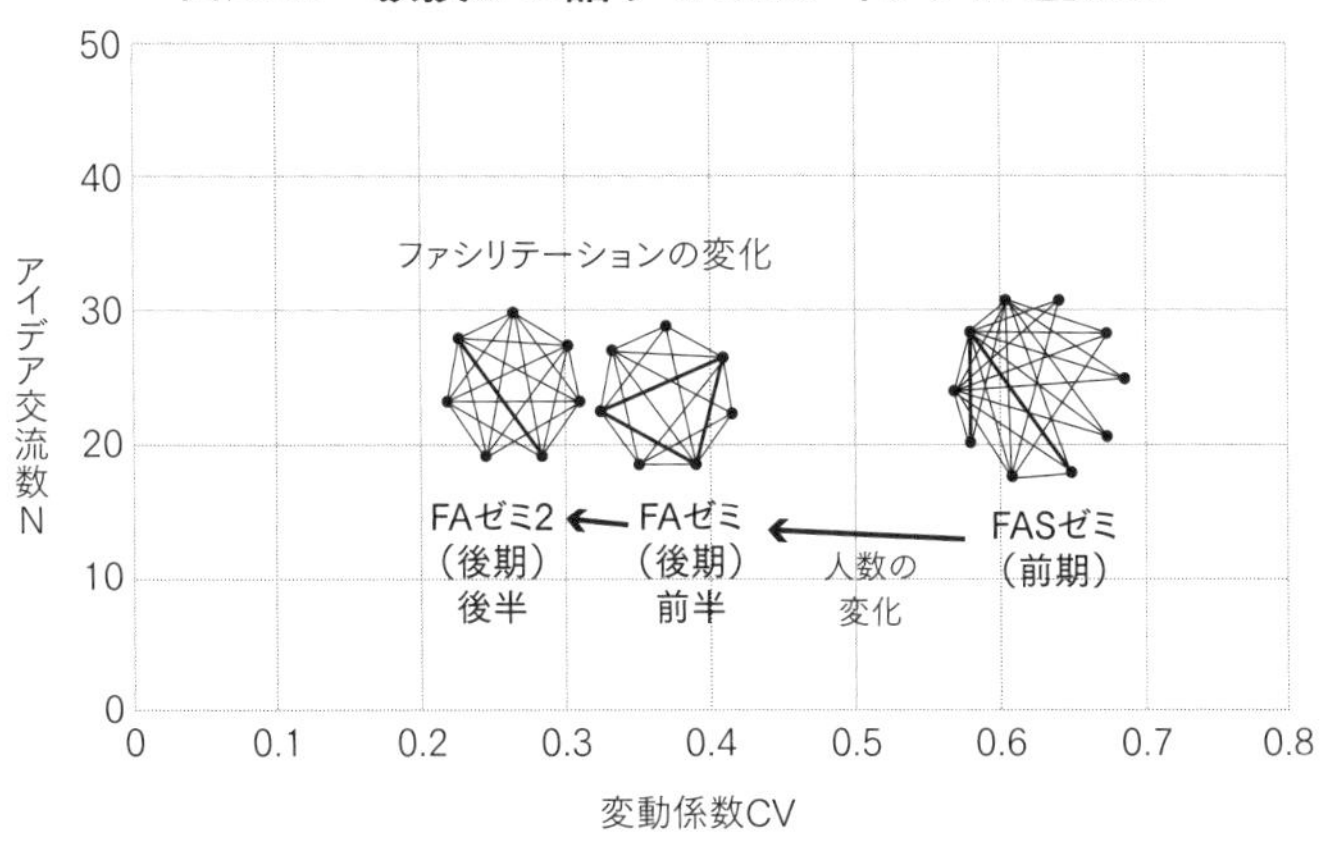

出所：針ケ谷厚（2021）東京理科大学MOTグラデュエーション・ペーパー

すなわち、すべてのチームメンバーに他のメンバーとうまく絆を作って、外部情報を取り入れてもらう。これが良いリーダーです。

この理論は、果たして正しいでしょうか？　アイデアの**流れを良くすればチームワークが良くなる**という仮説の下、理科大MOTのゼミの教え子であるH君が実験しました。ゼミの中の情報の流れをデータにして記録したのです。

図表18を見てください。縦軸はアイデアの量、横軸は参加の歪みを表す「変動係数」です（変動係数は低いほど良い）。右側にあるのは、前期4〜8月のFAS（フェルドマン・浅見・坂本）ゼミです。

全部で10人が参加し、学生が7人、教員は3人。ほとんど話していない人もいます。後期の9月~翌年1月は、前半と後半に分けています。ゼミの組み替えがあり、坂本先生が他の先生と組んで、FA(フェルドマン・浅見)ゼミになり、学生5人、教員2人になりました。

後期前半は、良くなりました。参加者の数が少なかったこともあって、歪みが生じにくくなったと言えます。ルールとして、「もうちょっと気をつけてみんなの意見を取り入れましょう」ということにしました。後期の後半はさらに良くなりました。

これはなぜでしょうか。H君が自分の研究結果を説明する時に、「偉い人が先に話すと他の人たちが黙ってしまう」ということを指摘しました。教員にとっては耳が痛い話でしたが、事実です。

その後学生が発表した後、私や浅見先生ではなく、**学生から話し始める**ことにしました。つまり、学生のコメントを先にして、教員のコメントを後にするとコミュニケーションが良くなったのです。

図を見ると、後期後半の変動係数は下がったことがわかります。すなわち、「歪み」が少なくなったのです。加えて、少しですが、アイデア交流数が良くなりました。結果として、この研究は優秀ペーパー賞を受賞しました。ペントランド教授の理論が立証されたのです。

時間を守る、日本とドイツの良き共通点

グローバル化は今後も進みます。色々な文化的背景を持つ方々と仕事をしないといけない世界です。

そこで少し面白い頭の体操をしてみましょう。図表19を見てください。牛、鶏、草の束が見えますね。西洋文化と東洋文化の違いを研究するために、ある心理学者が開発したものです。

質問です。「グルーピングをするとすれば、牛を鶏と一緒にしますか？　それとも牛と草の束を一緒にしますか？」

図表19　同じグループは？
東西文化の違い

出所：Nisbett, Richard(2004), *The Geography of Thought*, Free Press

西洋文化と東洋文化で、答えは異なります。西洋文化では**物体と物体の特徴**でグルーピングを決めるきらいが強いようです。すなわち、牛と鶏は両方動物だから同じグループに入れる。一方、東洋文化では、「物体と物体の関係」でグルーピングを決めるきらいが強いようです。

すなわち、**牛と草の束を一緒にする**のです。牛が草を食べるからです。もちろんこれは、100%ではありませんが、統計的にはかなりこの傾向が強いそうです。

このように、育った文化によって判断や考え方は異なります。相手の文化に配慮して行動しなければ、チームワークが成り立たないでしょう。

この文化の違いを徹底して調べたのは、フランスのビジネススクール「INSEAD」のエリン・メイヤー教授です。メイヤー教授は、文化を隔てて合併をする会社はどうすればうまくいくかを研究しています。研究結果は『異文化理解力』(英治出版、2015年)という著書で発表されました。企業文化の構成要因は八つある、という理論です。

その一つが「コミュニケーション軸」です。「コンテキスト」、つまり文脈や背景を読む文化があります。例えば、日本がそうです。日本では、あえて言わなくても相手に伝わる、「コンテキストが多い文化」なのです。主語がいらない文章が多いことは、その象徴です。

一方、アメリカは、コンテキストを前提としない文化です。移民の国であり、様々な人種が交ざっているからでしょう。このコミュニケーション軸では、日本と米国が正反対ですね。両者では誤解が発生する確率が高いと言えるでしょう。

もう一つの例は、社会的地位を表すヒエラルキーが厳しい国と、ほとんど平等の国の違いです。日本はヒエラルキーが非常に強い国です。一方、スウェーデンは極めて平等な社会構造です。また、**決定はトップダウンでやるのか、ボトムアップでやるのか**という文化の違いもあります。中国およびインドはトップダウンが非常に強い。日本はほとんどがボトムアップです。

日本の企業がドイツの企業を買収した実例を挙げましょう。日本とドイツを比較すると、文化の違いが極めて大きいようです。コミュニケーションにおいて、日本とドイツはかなり対照的なのです。批判について、ドイツは率直に言うが、日本は間接的に言います。それではこの買収はうまくいくはずがないように思われますが、実は非常にうまくいったのです。なぜでしょうか。

メイヤー教授の理論の中には、「時間を守る」という軸があります。日本人は、「来週火曜日3時までに資料を出します」と言った時は、必ずその期限を守って提出します。ドイツも同じです。

コミュニケーションにおいては違いがあっても、スケジュールの組み方に関するきちっとした文化が非常に似ているのです（ただし……始まる時間に関しては日本、ドイツとも守りますが、終わる時間については、ドイツはきちんと守るが、日本はそうではありません）。

日本、ドイツが共有できる「スケジュールについてきちんとしている文化」。これを基に日本の企業がドイツの企業と合併するための理解基盤を作り、文化の違いを互いに認め、全社員に説明したのです。その結果、この合併が非常にうまくいったわけです。

この例でもよくわかるように、チームワークを支える**異文化の理解力**は、グローバリゼーション時代において特に大事なのです。

参考文献

Duhigg, Charles (2017) *Smarter Faster Better: The Transformative Power of Real Productivity*, Random House（鈴木晶訳『あなたの生産性を上げる8つのアイディア』講談社、2017年）

Hemingway, Ernest (1952) *The Old Man and the Sea*, Charles Scribner's Sons（小川高義訳『老人と海』光文社、2014年）

Herman, Amy E. (2017) *Visual Intelligence: Sharpen Your Perception, Change Your Life*, Eamon Dolan/Mariner Books（岡本由香子訳『観察力を磨く 名画読解』早川書房、2016年）

堀田江理（2016）『1941 決意なき開戦：現代日本の起源』人文書院

Janis, Irving L. (1982) *Groupthink: Psychological Studies of Policy Decisions and Fiascoes*, Wadsworth Publishing

Meyer, Erin (2014) *The Culture Map: Decoding How People Think, Lead, and Get Things Done Across Cultures*, Public Affairs（樋口武志訳『異文化理解力 相手と自分の真意がわかる ビジネスパーソン必須の教養』英治出版、2015年）

Pentland, Alex (2014) *Social Physics*, Penguin（小林啓倫訳『ソーシャル物理学「良いアイデアはいかに広がるか」

の新しい科学』草思社、２０１８年）
Richard, Nisbett E. (2004) *The Geography of Thought: How Asians and Westerners Think Differently...and Why*, Free Press
Silver, Nate (2013) *The Signal and the Noise*, Penguin （川添節子訳『シグナル&ノイズ　天才データアナリストの「予測学」』日経ＢＰ社、２０１３年）
Strunk, William (1935) *The Elements of Style*, expanded by White, E.B. 1959（荒竹三郎訳『英語文章ルールブック』荒竹出版、１９８５年）
Tufte, Edward R. (2001) *The Visual Display of Quantitative Information*, Graphics Press
Tett, Gillian (2015) *The Silo Effect: The Peril of Expertise and the Promise of Breaking Down Barriers*, Simon and Schuster（土方奈美訳『サイロ・エフェクト　高度専門化社会の罠』文藝春秋、２０１９年）
Walker, Matthew (2018) *Why We Sleep: The New Science of Sleep and Dreams*, Penguin （桜田直美訳『睡眠こそ最強の解決策である』ＳＢクリエイティブ、２０１８年）

まとめ

○相手にわかるように、話す・書くスキルを磨こう

○寝る前に翌日のスケジュールを書き出し、8時間寝てレム睡眠を充分にとろう

○忖度しないこと、問題・異論・反論を歓迎しよう

○大量に話す、全員均等に話す、外部情報をとる――最強のチームの作り方

5章

データを正しく解釈しよう新型コロナと日本人

日本のコロナ対応、欧米と日本で評価が１８０度異なるのはなぜ？

経営においても、人生においても、**どのデータをどのように解釈するか**はかなり難しい問題です。現在、世界中のリーダーたちを悩ませている新型コロナウイルスは、この難しさを理解する良い例です。新型コロナウイルスについてのデータを基に、その判断の仕方を考えてみましょう。

新型コロナウイルスについて、日本の対応への欧米人の見方、日本の対応への日本人の見方は１８０度違います。

欧米人の見方は図表20のようなデータを基にしています。すなわち、自分たちの経験を基に目盛を決めて評価します。欧米の投資家と話して、日本の不十分なところを指摘すると、揃ってあきれたような反応を見せます。

感染件数は人口10万人当たり、日本は４８６人（２０２１年5月の時点）です。一方、カナダは３３００人、イギリスは６６００人、米国は９９００人。まさに桁が違います。しかも、感染者の死亡率は、日本が１・７％、カナダが１・９％、イギリスは２・９％、米国は１・８％です。「日本は決して悪くない」と、欧米人が思うのは理解できます。

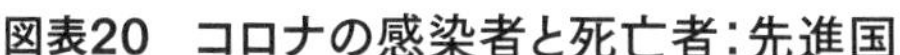

図表20　コロナの感染者と死亡者：先進国

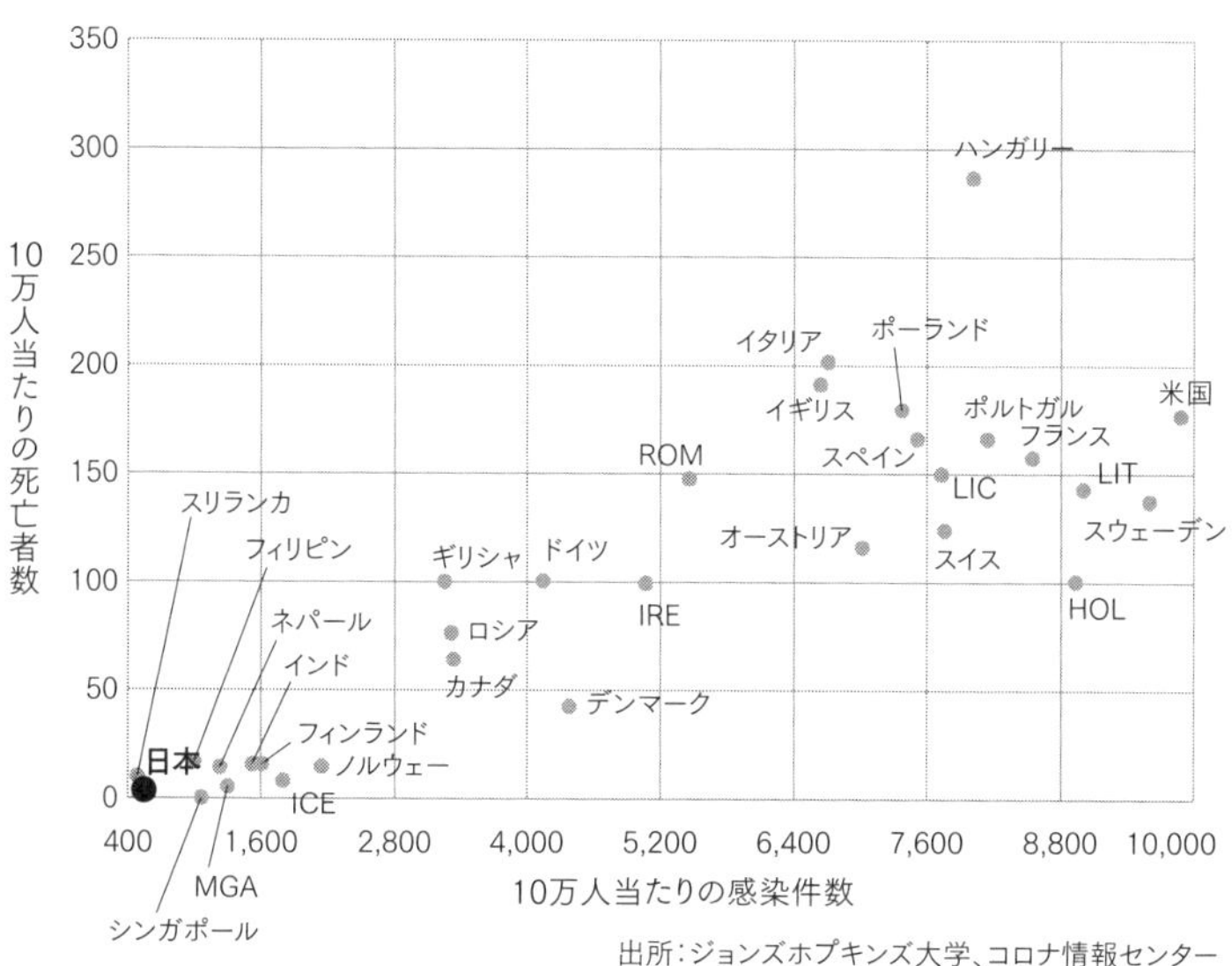

出所：ジョンズホプキンズ大学、コロナ情報センター

日本のワクチン接種が遅いというのは事実ですが、そもそものニーズは少ないので、「接種ペースを速めれば良いではないか」というのが海外の意見です。すなわち、海外の投資家が見る限り、日本は優等生とは言えないが、結果は決して悪いわけではありません。

ところが、日本人はそう思ってはいません。2021年5月上旬の読売新聞の調査では、「政府対応を評価する」と答えた人は23％しかいませんでした。評価する割合は、感染件数とかなりの逆相関がありますが、ワクチンの入手が遅いし、手に入れても接種ペースが遅いという国

図表21　コロナの感染者と死亡者：アジア諸国

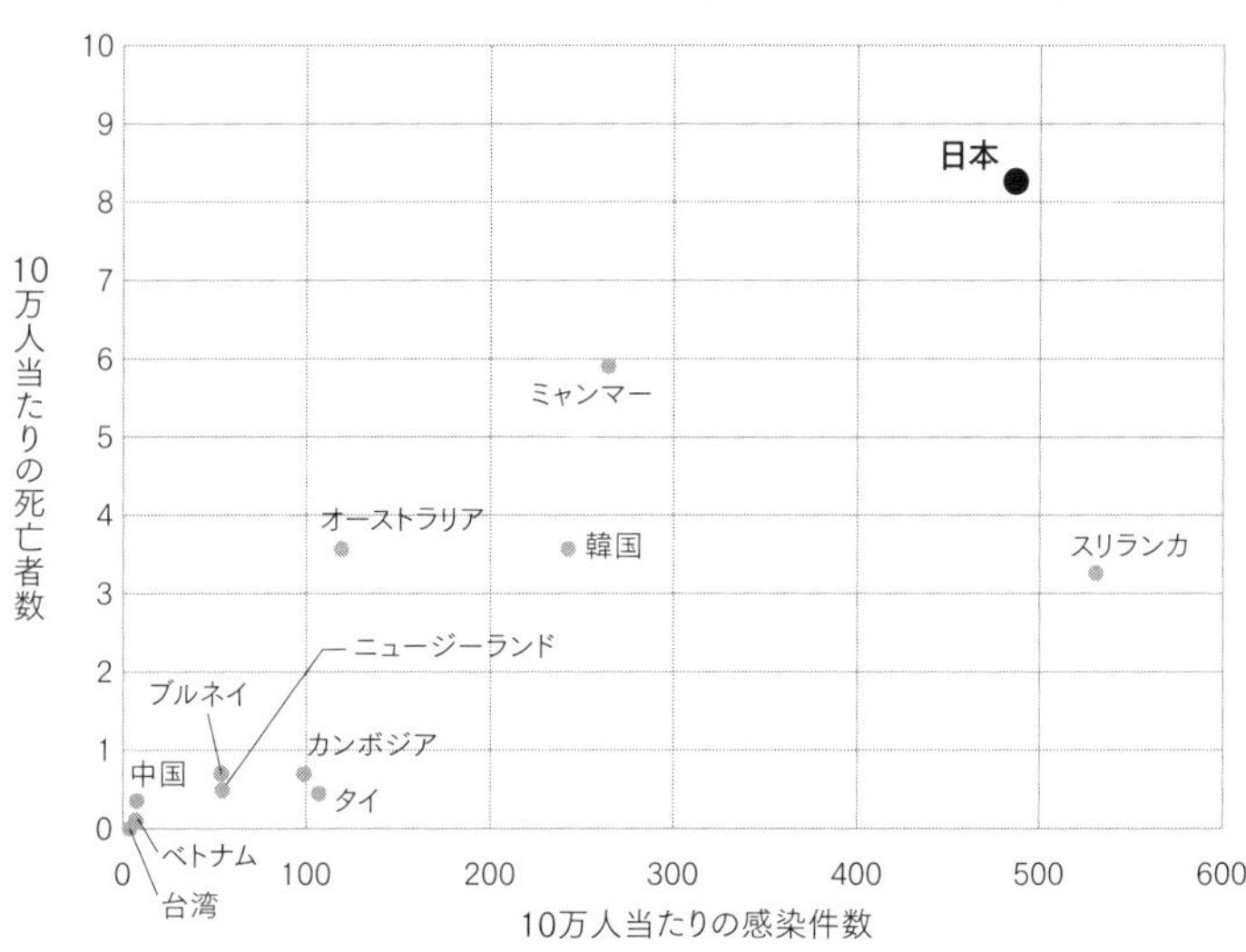

出所：ジョンズホプキンズ大学、コロナ情報センター

民の思いがあり、日本政府に対する国民の評価に大きな影響を与えました（https://www.yomiuri.co.jp/election/yoron-chosa/20210509-OYT1T50175/）。

国民の判断の背景にあるのは、図表21のようなデータではないでしょうか。この図を見ると日本人の不満がよくわかります。人口10万人当たりの感染件数は、日本の４８６人に比べて隣の**韓国は２４０人、タイは１０６人、台湾は５人**です。

感染者の死亡率は韓国が１・５％、タイは０・４％、台湾は１・０％です。シンガポールの結果も極めて面白い例です。

シンガポールの10万人当たりの感染件数は１０６７人。日本の倍以上ですが、感染者の死亡率は日本の１・７％に比べてなんと０・１％です。

実は、政府のコロナ対応に関する評価は、二人の筆者で意見が異なります。図表21の見方が異なるのです。死者60万人を出したアメリカの国籍を持つフェルドマンは、大好きな日本の失敗を認めながらもそう悪くないという意見です。一方、共著者の加藤の意見は違います。

日本政府のコロナ対応ベスト10、そしてワースト10

一つ断っておかなければなりません。筆者である私たち二人は理科系大学で教鞭をとっていますが、感染症の専門家ではありません。したがって、ウイルスそのものに関する知見は、当然限られます。政府の対応を考える際に気をつけなければならないのは、感染（罹患率・重症者数・死亡率など）そのものに関することなのか、**休業やステイホームによって冷える経済の問題**なのかということをまず明確に区別する必要があるということです。そして、私（加藤）は、リスクマネジメントと経営学の視点から、今次のコロナ禍を考えてみたいと思います。

政府による新型コロナ対策については、前述した読売新聞による調査以外でも同様の傾向が見られ、国民は批判的です。『新型コロナの科学』（中央公論新社、２０２０年）の著者である黒木登志夫氏は、独断と偏見と断った上で、日本の対応・評価について、ベスト10とワースト10を挙げています。詳しくは、ご覧いただきたいのですが、簡潔に引用させていただきます。

□**ベスト10**

①国民による行動自粛と協力、②三密とクラスター対策、③医療従事者の献身的貢献、④保健所職員の責任ある行動、⑤介護施設の努力、⑥専門家の発言（分科会編成替え前まで）、⑦中央、地方自治体の担当者、⑧ゲノム解析、⑨在外邦人救出便、⑩新型コロナ対応・民間臨時調査会の報告書

□**ワースト10**

①ＰＣＲ検査の問題、②厚労省、③一斉休校、④アベノマスク、⑤首相側近内閣府官僚、⑥感染予防対策の遅れ（Go To トラベルの実施も）、⑦分科会専門家、⑧**スピード感の欠如**、⑨情報不足（政策決定に至る過程の不透明性を含む）、⑩リスクコミュニケーション

書籍の発行日および引用などから判断すると、２０２０年10月末から11月初旬に脱稿されているのではないかと推測されますが、黒木氏の意見に首肯される方が多いのではないかと考えます。対策の決め手となるワクチンの入手が、それをベンチマークと考える諸外国より大幅に遅れ、ようやく大量に届いた時点になって、接種に不可欠な医師・看護師の確保不足が取りざたされ、接種予約を巡って混乱が続いています。

２０２１年７月１日現在、接種済みの割合は米国47％、ドイツ37％、日本12％でした。職域接種による加速はあるものの、やはり始まりは遅かったのです。法制度が異なるにせよ、随分前から、素人ボランティアに研修を行うことで打ち手不足を解消した事例、ドライブスルーやドラッグストアを活用した海外の取り組みなどが紹介されていました。

休業要請に至っては、飛沫の飛ぶ演劇は条件付き可で、**映画館や美術館がなぜ不可なのか**、科学的・合理的な説明はありません……。

個人による努力と組織的項目を分けて考える

さて、ベスト10とワースト10、それぞれの共通点はなんでしょうか。色々な解釈ができると思いますが、筆者には、ベスト10に入っているのは、個人による理解・努力に基づく項目が多く、ワースト10は行政的な項目に見えます。

コロナ対策の失敗をあげつらっての批判はワイドショーやSNSに任せるとして、ここではなぜそうなったのか、今後はどうしたら改善されるのかを考える方が建設的だと思われます。なぜなら、今後もパンデミックは発生する可能性があり、それ以外にも大震災などの自然災害、大規模なサイバー攻撃……、起きないことを望みますが、軍事的衝突とて視野に入れなければなりません。まずは、原因と思われるポイントを3点挙げてみます。

共著者のフェルドマンと議論して同意見なのは、①行政の縦割り（サイロ化現象）です。対策については、後述します。②名著『失敗の本質』（ダイヤモンド社、2012年）であぶりだされた、戦略目的が不明確なために優先順位がつけられない、ということです。これは、筆者が学生時代、同書の共著者である野中郁次郎先生を始めとした諸先生が指摘されていたことです。
③は、日本人によく見られる「正常性バイアス」です。つまり、**都合の悪いことを見ないようにしたり、過小評価したりしてしまう特性**です。これらはいずれも仮説ですが、検討に値すると思っています。次に、経済への影響について見てみましょう。
図表22は、コロナ禍による2020年末における死亡者数と対前年のGDP水準です。横軸の死亡者数は感染対策および医療提供水準、縦軸のGDP水準は経済的な影響度をそ

図表22 死亡者数とGDP

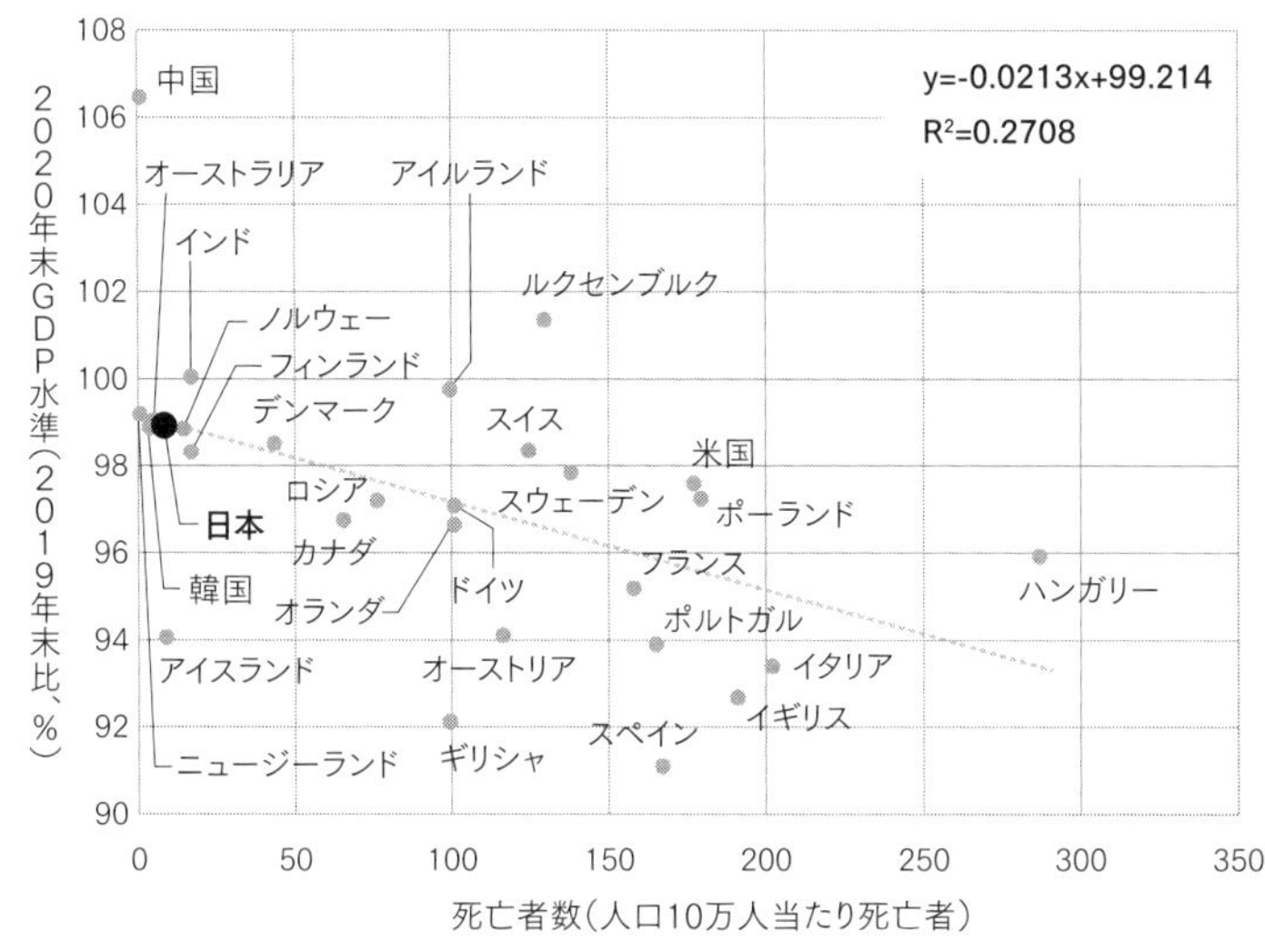

出所:筆者作成

れぞれ表しています。GDPでは、中国一国が伸びていますが、他の国はほとんどがマイナスとなっています。

日本は黒丸の位置ですので、死亡者数は少なく、GDPの落ち込みも小さいことから、相対的に頑張っていると判断されます。とはいえ、**国民の肌感覚**とはかなり乖離(かいり)していると思われます。

通常、共著では考え方を統一して書くことが多いと思いますが、今回は、あえて二人の違いをお見せします。これはどちらが正しいか、説得力があるかということではなくて、多様な見方があった方が良いと考えるからです。

そして議論する時には、お互いに敬意を持って行うことが大切です。私たちは、教室においても**多様な意見を尊重**しています。決まりきった答えを求めるのであれば、教科書に書いてあります。大いに議論しましょう。次項では、フェルドマンと加藤の意見がなぜ異なったのか、考察してみましょう。

Go To トラベルは正しかったのか、否か？

海外投資家の考え方と日本人の考え方、フェルドマンの意見と加藤の意見はなぜ異なるのか。混沌とした情報から理解をどのように引き出すかが異なるからです。理解を引き出す過程では、少なくとも五つの問題があります。（1）どの情報を選ぶか、（2）選んだ情報をどのように結び付けるか、（3）情報の信頼性をどうみるか、（4）仮説をどのように検証するか、（5）結果をどのように評価するか、です。図表23は問題をわかりやすくする例です。

例えば、ある人がグレーの点（情報）を選び、点と点をつないでから「犬だ」という結論を出します。同じグレーの点を選んでも、全然異なる絵を描くこともできます。図では、

図表23　単なる情報から意味を引き出す例

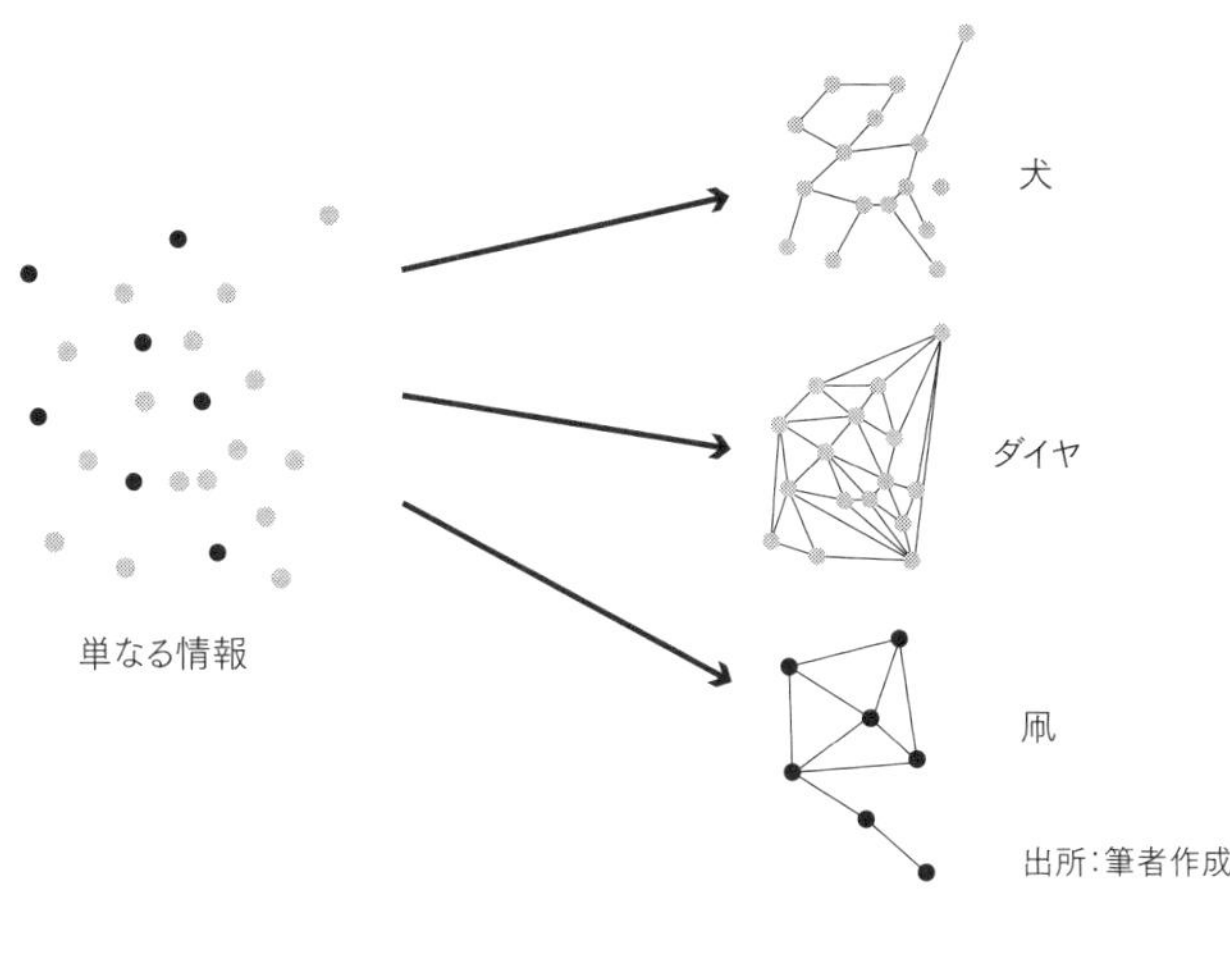

同じグレーの点を使ってダイヤの絵を作成できます。星座の解釈もそうです。北斗七星は、古代ローマでは「大熊」、古代アイルランドでは「鋤（すき）」、ドイツでは「ワゴン車」、ベトナムでは「大きい舵」です。同じ情報であっても、同じ結論になるとは限りません。

異なる情報の場合、さらに難しくなります。「どのデータを選ぶか」の問題です。データの選び方には各個人の履歴と経験が大きく影響します。図表23では、黒の点を選ぶ人は、「爪だ」という結論を出します。

グレーの点を選ぶ人と黒の点を選ぶ人はなかなか同意できません。経済学者がコロナ対応を評価する時に集める情報、**医師がコロナ対応を評価する情報**は当然異なります。

データの信頼性も大きな課題です。例えば、黒の点を選ぶ人は、もし凧の尾の真ん中の点が間違った情報であれば、凧と言えなくなります。自分の仮説を考える時、使用する情報の信頼性を確認すべきです。

一方、相手の仮説を批判したい時には、相手にとって肝心な情報が間違っていると主張できるなら、攻撃しやすいですね。

もし、「犬」という仮説なら、この仮説と合わない情報を例示しなければなりません。図では、一点だけが犬につながっていません、という批判もありえます。反論として、「犬でしょう。足が4本、しっぽもある」と主張しても、相手を説得できるでしょうか。

最も難しいのは、各仮説の評価基準です。コロナの場合、いくつかのＫＰＩ（Key Performance Indicator、重要業績評価指標）があり、相互に関係します。どのように「目的関数」を作成するか。感染者数、死亡者数、病床利用率、ワクチン接種進捗度などの医療指標はたくさんありますし、経済指標も大事です。すなわち、いくつかの目標にウェイトをかけて、**相互関係を理解・評価して、満足度を最大化**しないといけないのです。

目標が多いほど、ゴールがわかりにくくなり、国民の支持を得ることも、国民に指示を出すことも、難しくなります。感染者数を減らすことと、「Go To トラベル」を同時に推進することは得策ではなかったのです。「二兎を追う者は一兎をも得ず」の好事例です。

ファクターXは遺伝子なのか、マスクか？

日本では、「日本人はアジア人なので、アジア諸国と比較した方がよい」という意見があります。それは、主に東アジアあるいは東南アジアを前提にしている議論だと思われるのですが、日本の死亡者数が少なかったことから、「ファクターX」と呼ばれる**遺伝子的、あるいは生物学的な特性があるの**ではないかという説が背景にあるようです。HLA（ヒト白血球抗原）遺伝子群は、その組み合わせが個人間、人種間で違うので、新型コロナ感受性の関係を検討する必要があると専門家は指摘しています。

また、ゲノム解析関連では、重症化と相関しているのは3番染色体との報告があるそうです。これは医科学的な研究成果です。あるいは、日本語は飛沫を飛ばさない無気音だからではないかという指摘もあります。もし、そのような要因が影響するのであれば、新型コロナウイルスを持った人に接したとしても、罹患率・重症化率・死亡率を低下させる可能性を秘めています。しかしながら、これらはあくまで仮説の域を出ないので、今後の研究を待つことになります。

話はややそれますが、このような議論になると、ディベートでは「アジア人」って、誰のことかという方向に展開することもできます。例えば、「アジアの人口」をインターネットで検索すると、46億人が答えです。中近東、インド亜大陸、シベリア、中国、日本、韓国、東南アジア諸国が入っています。

それでは、インド人は入るのでしょうか。「アジア人」という概念を使って、感染度を識別できるでしょうか。例えば、人口10万人当たりの感染件数ですと、2021年7月25日現在、ネパールは2366人、サウジアラビアは1498人、モンゴルは4769人です。これらの国々の民族は同じアジア人ですか？　また、アジア諸国の民族構成は実はかなり異なります。

シンガポールは、漢民族（74％）、マレイ人（14％）、インド人（9％）です。コロナ対応が極めて良かったニュージーランドは、70％は欧州系です。そもそも、「アジア」という言葉は由緒が疑わしい。西洋人が「東に住む、自分たちと違う国々」という概念として作った政治的な名称なのです。

それではどうすれば良いのか。まずは、意図的に集められたデータ（確証バイアス）ではないという前提付きですが、**科学・医学の概念に基づいてデータを解釈する**ということです。特に、グローバルな議論においては大切な姿勢だと思います。その上で、データの現象面に何らかの因果関係が見えるようであれば、その現象を説明するために仮説を立てて、再現可能な手法で論理的に検証していくことが科学の進歩に貢献することになるかもしれません。

その際、注意しなければならないのは、分析している時は、何らかのパターンを見つけようとしているので、意図するかしないかは別として、データ解釈にあたって合致する理由付けを行う可能性があるということです。こうした現象を「認知バイアス」と言います。証明されていない仮説で相手を説得することは難しいでしょうが、証明できないのは科学技術がそこまで進歩していないからだという可能性もあります。

面白い例があります。オランダ人は遺伝的に、つまりDNAのために背が高いと思われがちです。しかし、記録を調べると、実はオランダ人は150年前に比べて平均身長が20センチも伸びているそうです。オランダ人のDNAが変わったとは考えにくいですね。DNAと背の高さの関係があったとしても、その要因は未だ解明されていないのです。

新型コロナウイルスについても、現段階では「アジア人」という曖昧（あいまい）な概念よりも、すでに理解されている科学・医学の概念を使うことで、対応を検討すべきでしょう。例えば、**日本人特有の高いマスク着用率**などです。

清潔の国、お辞儀と科学の国、ニッポン

18世紀初頭の江戸は、人口がロンドンの倍でしたが、**公衆衛生の状態は断然に良かったのです。**入浴も服の洗濯も欧州に見られない頻度でした。疫病は少なかったし、平均寿命は長かったようです。当時の文化は今でも続いています。

2020年4月だったと記憶しているのですが、筆者（フェルドマン）は高層ビルのコンビニで買い物をしようとしました。その前にトイレに寄って出る時、隣にいた人も、私も、一生懸命に手を洗っています。まるで、二人で手洗い競争をしているようでした。日本人は生活習慣が大変良いと思います。手をきちんと洗い、マスクも鼻が隠れるようにきちんと着用します。

アメリカのように、「マスク着用令は自由の侵害だ」「コロナなんて捏造だ！」などという人はほとんどいません。アジア諸国に比べても、日本は清潔だと思います。欧米人もそうですが、アジアからの観光客が日本を尊敬する理由の一つは、日本は清潔な国だということです。

日本の交際文化も、新型コロナウイルスから日本を守ったと考えられます。

挨拶は、欧米やオーストラリアやニュージーランドのように、**握手とハグではなく、お**

辞儀です。国民はお上に対して不満を持っていても従順です。「外出を控えましょう」と言われたら、外出を控えます。緊急事態宣言が延長された時も、国民の大半が賛成しました。個人の権利と公益のバランスが、西洋文化と違うのです。

その上、日本の生理学・医学水準は高く、国民は科学を尊重します。その科学的能力が日本を守ったと考えます。医療制度に問題は多いとは思いますが、国際比較において水準は高いと言えます。

なぜ、日本のワクチン開発は後れをとったのか

欧州、米国、中国、ロシアはコロナのワクチン開発に成功しましたが、日本は後れをとりました。すなわち、日本は技術経営が優れているとはお世辞にも言えない状況です。相撲に譬(たと)えるなら、本来強いはずの力士が負け越しになっているのです。なぜでしょうか。

教育制度にその原因を求める傾向が見られます。まずは、教育歳出の国際比較から見てみましょう。OECD諸国における教育歳出総額の対GDP比率の平均値は、4・1%(2015年)です。フィンランドの5・7%、ノルウェーの6・3%に比べて、日本は2・9%でビリです。第三段階教育(大学)でも、政府歳出は同じくビリです。フィンラ

図表24　理学・工学部の学生数、割合

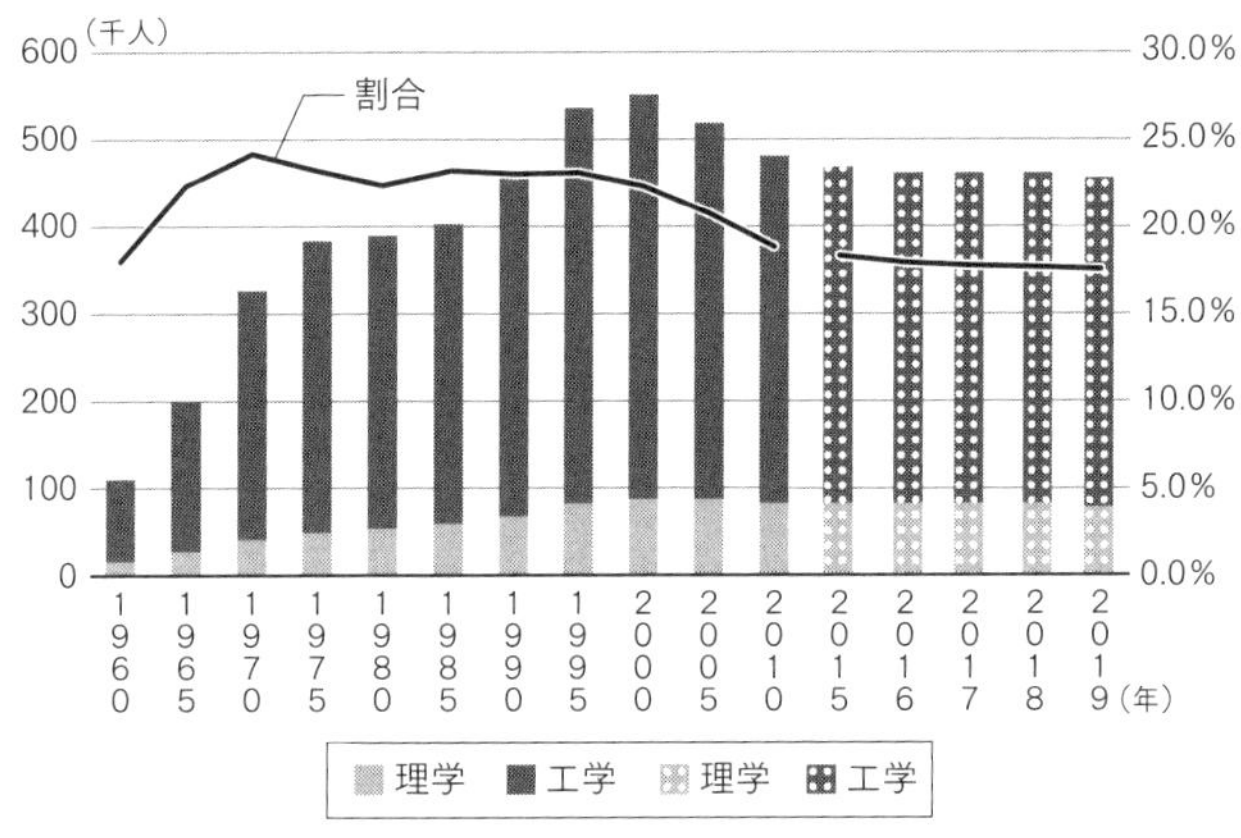

出所：文部科学省「文部科学統計要覧（令和2年版）」より作成
https://www.mext.go.jp/b_menu/toukei/002/002b/1417059_00003.htm

ンドはGDPの1・6%を第三段階教育に利用しているのに、日本は0・45%です。

なぜ日本はこんなにも教育歳出を抑えているのでしょうか。決して、教育を大事に思っていないからではありません。社会的選択として**高齢者の社会福祉を拡大してきた**ためです。教育制度が悪いというよりも、「歳出配分を時代に合わせる社会的な仕組みが欠如している」という解釈が正しいでしょう。その背景には、年代ごとの投票率（政治参加意識）の違いが影響していると考えられます。投票におけるITの活用はソリューションの一つです。

一方、問題は歳出額だけではありません。学生が何を勉強しているかも課題です。「文部科学統計要覧（令和2年版）」の統計から、右の図表24を作成しました。学部別の学生数ですが、理学・工学を勉強している学生の割合のピークは1970年の24・2%でした。一方、学生数としてのピークは2000年の55・5万人です。その後、理学・工学部の学生数、割合ともに下がっていることがわかります。2019年、理学・工学部の学生数は45・8万人、割合が17・6%です。すなわち、理学・工学部の学生を増やすべき時代なのに、逆に減っているのです。

競争力を支えリードする「技術経営」を担う人材育成基盤が脆弱化しているのです。これが今の日本の現実です。このような状況で企業はグローバル競争に勝てるでしょうか。国は財源の配分を再考すべき時であり、**企業は採用・人事制度の再設計を急ぐ必要がある**と考えます。

次は、情報の流れから検討してみたいと思います。仮に人材（財）はいても、うまく彼ら、彼女らとアイデアを交換し、その活動の配分をしないと良い結果は出ません。4章でも述べたように、アイデアの流れを促進する社内および社外ネットワークを作ることが鍵です。それでは、国レベルでのアイデアの流れはどうでしょうか。

審議会の委員名簿を見ると面白い現象に気が付きます。産業構造審議会（経産省管轄委員は17人〔2021年5月現在〕）および科学技術・学術審議会（文科省管轄）ですが、両委員名簿には格段に優秀な方が並んでいます。

しかしながら、両審議会に参加している委員は一人もいません。技術と産業の関係が極めて大事な現在、その連携が大切であるにもかかわらず、です。個人的に情報を知り合いと共有することはあるでしょう。経産省にも文科省にも優秀な官僚の個人的関係がたくさんあると思います。しかし、大臣の関係者でない限りは、個人的関係の情報によって政策を動かすことは難しいでしょう。すなわち、政策策定が「縦割り構造」なのです。

技術が速く進歩している時代は「横の関係」が極めて重要になってきます。なぜなら、組織内の論理が外部情報を議論に導入することを阻止するからです。つまり、日本の政策策定は構造上、技術経営が難しい仕組みになっているのです。

縦割り組織の問題は、実は日本の行政だけのことではありません。人類全体の問題です。組織が大きくなればなるほど、専門性が要求されればされるほど、**組織は縦割りになる傾向がある**からです。リーダーが技術経営で勝利するつもりであれば、組織内の情報交流をもっと刺激しなければなりません。

コロナ禍に関して言えば、健康を担当する厚労省、地方自治体を担当する総務省、教育・研究開発を担当する文科省、産業を担当する経産省、物流を担当する国土交通省が、チームプレーできるような仕組みを導入することで、初めて日本は「技術経営」立国たりうると考えます。そうすることで、社会福祉、喫緊のコロナ禍の課題解決はもとより、グローバル競争でも優位に立てるのではないでしょうか。

生活習慣が良く、医療水準が高い日本。しかし、なぜ国民はコロナ対応の結果が不十分だと思っているのでしょうか。「政治のせいだ」「役人のせいだ」という意見は100%間違いではありませんが、短絡的です。

むしろ、**日本の国としての技術経営が足りない**のが理由ではないかと思います。二つの側面、すなわち危機管理力と技術開発・実装力に問題があると思われます。まず、コロナ対応がうまくいった例を見てみましょう。オードリー・タン大臣が指揮をとった台湾の例です。

オードリー・タンのような天才をどうやって輩出するのか

世界各国が、台湾がコロナをうまく抑え込んだことに驚いています。この成功の背景に誰がいるのでしょうか。その一人は、驚くことにGEの伝説の会長であったジャック・ウェルチです。

もちろん、台湾のコロナ対策の成功は、かなりの部分がデジタル担当大臣のオードリー・タン氏のおかげであると言われており、その通りだと思います。

タン大臣が天才であることに異論の余地はありません。知能指数が180以上、中学以後は学校へ行っていないにもかかわらず、独学でコンピューター・プログラムを駆使して、16歳で会社を設立。巨額の富を得て、33歳の若さで「退職」しました。2014年、反体制の「ひまわり学生運動」でデジタル技術を利用して広報に大きく貢献したのは彼女です。

反体制派であったタン氏は、面白いことに当時の国民党内閣のデジタル大臣であった蔡玉玲に注目されました。2014年後半に、蔡玉玲大臣がタン氏を「逆メンター」にしました。若い方が年配の方にアドバイスをする役割です。蔡玉玲大臣は、タン氏の能力を借りて、国民党政権においてデジタル国策を推進しました。

台湾の仕組みと日本の仕組みを比較すると、三つの疑問が出てきます。(1)どのようにタン氏のような天才ができたのか、(2)なぜ台湾は早い段階からデジタル担当大臣を設けられたのか、(3)「逆メンター制度」はなぜ導入されたのか、です。

まず一つ目です。天才育成について、決まった方法はありません。イギリス人のホーキング博士は、極めて**思想が自由な、愛あふれる家庭**に生まれました。しかし、そうではない天才もたくさんいます。残念ながら「いじめ」が関係してくる場合もあります。体が小さく、「お猿さんの顔」と言われたホーキング博士は、学校でいじめられました。しかし、

「いじめられっ子だから天才になれた」というわけでもありません。

どのようにしたら天才を作ることができるかは誰にもわからない現在、政策的に天才を育成しようとしても無理でしょう。幸い、**日本は天才に関して心配はいらない**と思います。なぜなら、十分に天才がいるからです。ただし、その能力を使っていないことが問題なのです。

二つ目のデジタル担当大臣について考えましょう。日本は2000年の森喜朗政権から「電子政府」を唱えています。成果が全くなかったわけではありません。OECDの電子政府を評価するためにできたOUR指数（Open, Useful, Reusable）において、2019年の結果で日本はほぼトップです。一方で、実際に電子政府が利用されているかどうかは別問題です。

そうした中で、諸外国は加速度的に進化しています。2014年末に、エストニア、イスラエル、ニュージーランド、韓国、イギリスはD5（デジタル5か国）を作り、米国もフランスもオブザーバーとして参加しました。

その後、カナダ、ウルグアイ、メキシコ、ポルトガル、デンマークが加盟しました。このグループは年に2回集まり、デジタルの進捗について話しあい、アイデアを交換します。

一方、D5の資料を検索しても、日本に関する言及はありません。ようやく2020年

9月、菅義偉政権になって**デジタル改革担当大臣を任命、2021年9月からデジタル庁を創立**することになりました。待ったなしの状況です。

IMD（スイスの国際経営開発研究所）はデジタル競争力ランキングを出していますが、日本は2016年の23位から2020年には27位に落ちてしまいました。すなわち、電子化の政策的な優先順位は他国に比べて低いと言えるでしょう。

35歳以下の頭がいいメンターを探せ！

三つ目は、逆メンター制度についてです。ここでジャック・ウェルチ会長の出番です。1999年、ウェルチ会長は、GE傘下の消費者金融事業の社長と会っていました。その社長は、ウェルチ会長に「私はメンティーです」と言うのです（メンティーとは、アドバイスを受ける人）。

ウェルチ会長は、「なんですって？　あなたは社長でしょう！」と驚きました。すると社長は、「いやいや、新しい事業については何も知らないのです。だから、一番若くて、頭のいい人にメンターになってもらっている」と言うのです。ウェルチ会長は、インターネットが急拡大している中、このアイデアは助け船だと思いました。ウェルチ会長は、数日以内にＧＥのトップ５００人に対して、「35歳以下の頭がいいメンターを探すように」と指示を出したのです。その結果、トップは下からの情報および新しい考え方を積極的に取り入れることができるようになりました。そして、他の会社も「逆メンター制度」を導入するようになったのです。

台湾は国際人材が多い国です。李登輝元総統は、米国コーネル大学の農業経済学博士号、馬英九前総統はハーバード大学の法学博士号、蔡英文総統はロンドン大学の法学博士号を取得しています。総統以下の役人も、産業界でも、**海外状況に敏感な方が多く、新しいアイデアに寛容**です。当然、ウェルチ氏の「逆メンター制度」は台湾でもスムーズに受け入れられる環境です。

その台湾では、馬総統は「ひまわり学生運動」を見て、政権が若い人の声をもっと聴くべきであると判断し、35歳以下の「若者顧問会議」の創立を指示しました。初会合は、運動が終わった直後の２０１４年7月22日に開かれました。26人のメンバーを専門別に六つのチームに分け、「若者顧問会議」が動きだしたのです。

この制度を背景に、蔡玉玲大臣がタン氏を事実上の「メンター」にすることができたのです。国民党時代のタン氏の貢献は高く評価され、２０１６年の総統選挙で当選した民進党の蔡英文氏は、タン氏をデジタル担当大臣に任命したのです。

すなわち、台湾のいくつかの仕組み（教育、技術、情報交流）が融合した結果が、タン氏を大臣にしたと言えるでしょう。コロナ危機が台湾を襲った時、理解力が高く、技術に長けた人材が情報を広く収集し、良い対策が打てたのです。2020年1月23日、台湾は、ネット情報をトップに流し、正しく解釈することで、武漢からの直行便を禁止しました。技術経営が危機管理に大きく貢献したのです。

三密の象徴、ダイヤモンド・プリンセス号の教訓

台湾は国として「人間をつなげる」目的で技術経営の仕組みを作っていたために、危機管理がうまくいったのだと思われます。

一方、危機管理を前時代の例から見る必要もあります。ウィンストン・チャーチルの例がわかりやすいでしょう。要点は三つあります：（1）コミュニケーション力、（2）**戦略、責任者の任命**、（3）有事の際は行動に移すこと（作為のミスを恐れず）です。

この三つの観点から、日本のコロナの危機管理を見てみましょう。

コミュニケーション：コロナの初動段階で、安倍晋三総理が小中高校の休校を発表しましたが、行動に移したことは評価すべきです。しかし、世論調査では国民の55％は支持し

たものの、45%は支持しませんでした。これはコミュニケーションが足りなかったからでしょう。

一方、安倍総理のコミュニケーションとして良かったのは、緊急事態宣言を発令した際、「外出を7割、できれば8割削減してほしい」と具体的な数値を出してお願いしたことです。具体的でわかりやすいことから、国民は概ね従ったのです。

地方自治体の首長の言動は、良いコミュニケーションもあったと感じます。特に、小池百合子都知事は毎日の記者会見で、マスクを着用し、冷静な、ゆっくりした話し方で危機感を伝えました。2020年3月23日の記者会見で、「三つの密」という表現を使い、クラスターを起こさないために何が必要かをわかりやすく説明しました。「三密」の典型だったダイヤモンド・プリンセス号の記憶がまだ生々しい時に、この表現を使ったことが、より効果を高めたと言えます。愛知県の大村秀章知事、大阪府の吉村洋文知事も印象を残す話し方、わかりやすいフリップを利用し、良い訴え方をしていました。

戦略：危機が発生した際、**全体像を把握する構想（モデル）を持つ**ことが重要です。

それでは、コロナに関して、日本はどの構想（モデル）を利用したでしょうか。

韓国が実行した幅広い検査とは違って、2020年4月上旬頃まで日本はあまり検査をせずにクラスターを追いかけて抑えるという戦略をとっていました。感染力が低い病気であればわかりますが、当時すでに感染性が高いと思われていたのにもかかわらず、です。特に、感染者が人に伝染させる期間は14日間程度であることは判明していました。14日間もあれば、クラスターが発生後、把握して、関係者を調べるまでに感染がかなり広がってしまいます。その上、クラスターを調べて、関係者を追いかけることは極めて労働集約的な活動です。

すなわち、クラスター戦略は、戦略として不十分なところがあり、かつ正しく実行することは極めて難しいものだったのです。

第二波が到来した頃には、より現実的な戦略が徐々に現れました。「実効再生産数」戦略（いわゆる「R０」）です。「実効再生産数」とは、**一人の感染者から何人に伝染するかという人数**です。R０が一人を下回るなら、感染者数は縮小します。一人を上回るなら、拡大します。

R０の構成要因は四つあります。

（１）感染日数：感染者が何日間、他の人に病気を伝染させるかの日数です。これは、この疾患の特徴であり、変えることはできません。

（２）接触機会：感染者が一日に会う人の数です。措置としては、感染者あるいは感染者である可能性の高い人たちの隔離、外出制限です。無症状感染者もいる病気ですので、一般人の外出制限も必要です。

(3)伝染確率：感染者が会う人に病気を伝染させる確率です。低いほどいいです。手を洗うこと、マスクを着用することも伝染確率を低くする対策です。

(4)感染確率：伝染者に遭遇することで感染する確率です。これも低い方が良いです。予防措置(一般健康)およびワクチン接種が感染確率を下げるには有効です(はしかの場合、ワクチン接種を受けていない人の感染確率は90%)。

行動：2020年の夏頃から、R0戦略が広く利用されるようになり、かなりの効果があったと思われます。わかりやすいですね。一方、実行段階で徹底できなかったのにはいくつかの要因がありました。

なぜ、お役人は後手後手なのか

官庁の反応が後手後手になる最大の要因は、縦割り行政です。平時でも官庁同士の協力はなかなか難しいのですが、皮肉なことに有事の際はさらに難しくなってしまうのです。「作為のミス」を強く恐れる官庁は、有事には本能的に防衛反応が働きます。第二次世界大戦でイギリスを救った**チャーチルのような決断を怖がらない、責任を取るリーダー**がいなければ組織は動きません。その上、縦割り組織は他の組織との情報の共有がなされないことも多く、どの組織が協力できるのかさえわからない状態です。

さらに、責任問題があります。官庁の世界では「作為のミス」を犯せば、責任を取らされ、キャリアが止まってしまう可能性があります。ところが「不作為のミス」であれば、「命令されなかった」で済むのです。

これは社会にとって大きなマイナスとなります。特に有事の時には、柔道の試合のように、攻撃しないと減点される、つまり「不作為のミス」で減点される仕組みが必要です。失敗を早く把握し、早く認め、早く軌道修正するインセンティブが官庁にも企業にも地方自治体にも必要です。

Ｒ０戦略の実行が難しかった、もう一つの要因は「ロジスティック（後方業務）」の不備でした。例えば、病床が足りない時に、どこに病床があるか、どの救急車が運べるか、などの情報共有による協力体制が不十分なのです。日本社会におけるＩＴ活用の遅れもありますが、それ以上に**ＩＴを利用して協力するインセンティブが足りない**のです。

実際、「アベノマスク」を迅速に配分する仕組みがありませんでした。給付金もそうです。一律給付に関する議論はありますが、一人当たり10万円を給付することは、正しい政策であったと思います。ところが、迅速に配布するためのマイナンバーがうまく機能する仕組みはありませんでした。すなわち、日本社会（官庁も企業も）の縦割りが、危機管理の実行を阻害しているのです。

平時から有事に切り替える仕組み

日本人には、自分にとって都合の悪い情報を無視、あるいは過小評価する「正常性バイアス」と呼ばれる心理的傾向、「何とかなる」という根拠のない楽観的思考があるとの指摘があります。

今般の新型コロナ禍は、国家的なレベルの準有事です。様々な側面で、良心のみに依存する要請アプローチの限界が垣間見えます。

危機に際して、よりうまく迅速に対応できるように、**平時から有事に切り替える仕組み、法整備**が必要ではないでしょうか。

佐々淳行氏は、1980年発刊の『危機管理のノウハウ　PART2』（PHP研究所）の中で、「危機に際しては、『単細胞化』し、必要最小限の決裁で迅速に『意思決定』し、直ちに行動に移れるような『戦う組織』づくりを行い、その上で、健全な『常識』と『法三章』（筆者注：複雑な法体系を必要最小限のものに絞り込むこと）の精神によって、規則などの解釈による弾力的運用をはかることが大切であるが、その準備は、平和な日常生活のなかで慎重に時間をかけ、みんなの**コンセンサスを得ながらすすめておく**ことが望ましい」と述べています。

傾聴に値する意見だと思われます。

参考文献

ロバート・アラン・フェルドマン（２０１２）『フェルドマン式知的生産術　国境、業界を越えて働くために』プレジデント社

Headrick, Daniel (2009) *Technology: A World History*, Oxford

Kucharski, Adam (2020) *The Rules of Contagion: Why Things Spread-and Why They Stop*, Wellcome Collection

黒木登志夫（２０２０）『新型コロナの科学　パンデミック、そして共生の未来へ』中央公論新社

Morse, E. S. (1917) *Japan Day by Day*, Houghton Mifflin

佐々淳行（１９８０）『危機管理のノウハウ　ＰＡＲＴ２』ＰＨＰ研究所

まとめ

○日本にもいるはずの、オードリー・タンを登用・活用しよう

○感染者数・死亡者数の少なさは、日本国内よりもむしろ海外から評価されている

○ファクターXはおそらく、日本人の科学的基盤と公衆衛生意識のたまもの

○責任を取るリーダーがいないため、ワクチン開発・接種に大きく後れをとった。縦割り組織では、アベノマスク・給付金も国民の手にすぐには届かなかった

○平時から有事に切り替える仕組みづくりが急務

6章

エネルギー革命と成長する企業の決断

燃料が供給されなければ、最新鋭の軍艦も動けない

エネルギー技術が進歩すると、経営者は否応なく難しい決断を迫られます。新しいエネルギー源へとどう転換していくのか。

現代はまさにエネルギーの転換点であり、しかも様々な再生可能エネルギー、サプライチェーン（供給網）が考えられます。初めに、過去から現在までの、三つの事例によりその教訓を考えてみましょう。

1903年、イギリスとドイツの地政学競争が見え隠れするなか、サー・ジョン・フィッシャー英海軍大将は、エネルギー転換問題を考えていました。当時、英海軍の船舶はすべて石炭で動いていましたが、フィッシャー大将は石油の方が勝るのではないかと考えたのです。まずは一隻、石油を動力とした実験を行いましたが、失敗。ドイツと共存できる雰囲気がまだ残っていたこともあり、軍艦の燃料問題は凍結となりました。

ところが、1911年7月、突如ドイツ海軍の軍艦がモロッコの港町に入港する「第二次モロッコ事件」が勃発しました。同年10月チャーチルは海軍大臣に就任し、フィッシャー大将を顧問に迎えます。そして翌1912年から**重油で動く軍艦の製造を始めた**のです。

速度、加速、航続距離いずれも石炭軍艦より優れており、隊員の労働負担も軽いという理由で、全艦燃料の重油化が決まったのです。

問題は、国内に油田を持たないイギリスが、どこから石油を安定的に確保するかということでした。1914年6月、イギリス政府は原油供給会社の株を51％取得し、安定供給をはかりました。第一次世界大戦は、1914年8月1日開戦でしたから、ギリギリで間に合ったと言えるでしょう。

ところが、軍艦燃料の重油への転換は100％正解ではなかったのです。ドイツはUボートを使って原油タンカーを攻撃するという作戦を実行し、燃料のないイギリス軍艦が出航できない時期も少なくありませんでした。出航できたとしても、重油が足りなくなり、速度を制限することもありました。新技術を利用する際には、**サプライチェーンを考えねばならない**、という教訓です。

エンパイアステートビルの収益を改善した風力エネルギー技術

次に、1950年代の日本の事例を見てみましょう。

敗戦後の日本は復興途上にありましたが、エネルギーの8割以上を国内石炭と木材に頼っていました。しかも、その生産コストが高いのです。日本の石炭は掘削しにくく、炭鉱の水漏れによる事故も大きな問題でした。危険な仕事であったため、労使関係も決して良い状況ではなかったのです。

一方、中近東の安い原油が市場に出始め、大型タンカーも就航するようになりました。1バレル当たり1ドルという極めて安い原油は非常に魅力的です。

当然、日本国内の既存石炭業界が反対しても、また様々な規制があったにもかかわらず、原油は急速に広がりました。凄まじい経済成長の中、1970年までのたった20年間で、**一次エネルギーの75%が原油に置き換わった**のです。安いエネルギーが勝つ、という教訓です。

次の例は、ニューヨークの象徴とも言えるエンパイアステートビルです。

映画ではキングコングが登った、このビルディングが完成したのは1931年のことです。ところが、エンパイアステートビルのエネルギー効率は極めて悪く、2007年、ビルのオーナーがリニューアル計画を立てました。

窓サッシを取り換え、二重窓を導入、暖・冷房設備を入れ替え、エレベーターに発電機能を導入、温度調整設備改良などを徹底しました。各装置には、5年以内に元が取れるという金融条件が付いていました。

２０１０年にリニューアルが終わった時、約３１１０万ドルの投資によって、**約40%のエネルギー利用削減、排出量の40%削減**、高熱コストの年４００万ドル削減ができました。

しかし、悲願は未だ達成していません。オーナーは、２０３０年までにさらに40%のエネルギー削減を計画しています。一つの理由はコロナ禍による気づきでした。

ほとんど人がビルに入らなかった２０２０年は、エネルギー利用は28%しか下がらなかったのです。それを受けてオーナーはまだ改善余地はある、と考えたのです。そこで、利用電力をより安い風力に変える契約を結んだ結果、さらにコストを下げることができました。新しいエネルギー技術にうまく投資すれば、利益は上がる、という教訓です。

温暖化により、地球の水の流れが変わる――人類存続の危機

数年前、北九州市の「環境ミュージアム」へ行ってきました。そこには、ビックリ仰天の絵葉書が展示されていました。１９５０年代、八幡市が市のPRをするために作製したもので、「虹の町」と名付けられています。「虹」とは、いくつもの煙突から立ち上っている色鮮やかな煙のことでした。なんと、当時の八幡市は公害の象徴のような光景を「虹の町」としてPRしていたのです。

当時の市民は、職を失いたくない一方、子供が喘息になってほしくないとも考えました。1960年代になると、市民は製鉄所経営者と環境を改善する合意を結び、その取り決めが機能し始めました。企業側もまた、公害問題は解決しない限り自分たちに跳ね返ってくると理解したのです。経済用語では「外部不経済」と言います。公害を企業と市民が協働して克服したという、とても良い例でしょう。現在では、北九州市の役人たちがアジア諸国の都市に環境改善のノウハウを教えているとのことです。

温暖化はまさに「外部不経済」です。NOAA（アメリカの気象庁）が世界の地面の平均温度を図にしています。1901〜2000年の平均に比べ、1880〜1940年は平均以下、1941〜1980年は概ね平均値でした。1981〜2020年はだんだんと平均以上の幅が拡大しています。2020年は、プラス摂氏1・0度でした。

日本はどうでしょうか。気象庁のデータによれば、鹿児島・東京・稚内の1950〜1970年の平均に比べて、1998〜2018年の平均は摂氏1・24度高いようです。

この温暖化は世界に何をもたらしているでしょうか。**干ばつ、豪雨といった異常気象、氷山融解、海面上昇**です。メキシコ湾流の変化も、恐ろしいものです。ロンドンの緯度は51・51度で稚内市の45・41度より高いのですが、ロンドンの気候の方が断然に穏やかなのは、メキシコ湾流のおかげです。湾流が変化すれば、ロンドンの気候は厳しいものになり、大変なことになるでしょう。

南極の氷床も速いペースで融解しています。すなわち、地球の水の流れが変わりつつあるのです。水の流れが変わると、農業の基盤、産業の基盤、健康の基盤が悪影響を受けます。人類の存続を脅かしていると言っても過言ではありません。

一方、ビジネスが新しい技術をうまく利用できれば、**温暖化問題および温暖化による派生問題を解決する**ことに貢献できます。価値が極めて高いビジネスと言えるでしょう。

本章冒頭の例からわかる三つの教訓は、「安いエネルギーが勝つ」「サプライチェーンに注意」「技術をうまく利用すれば利益が出る」です。現在の温暖化問題に当てはめると、どのようなビジネスができるでしょうか。どのように技術を経営に活かせば良いでしょうか。

ソーラー・風力など日本の再生可能エネルギー市場は伸びているのか

では、再生可能エネルギー（主にソーラー、風力）のコストは従来のエネルギー（化石、原子力）に比べ、安くなったでしょうか。発電に関しては、資産運用会社であるラザード社が毎年発表する調査が参考になります。ラザード社は２００９年以降、世界中の新規の

図表25　発電の総原価（新規）

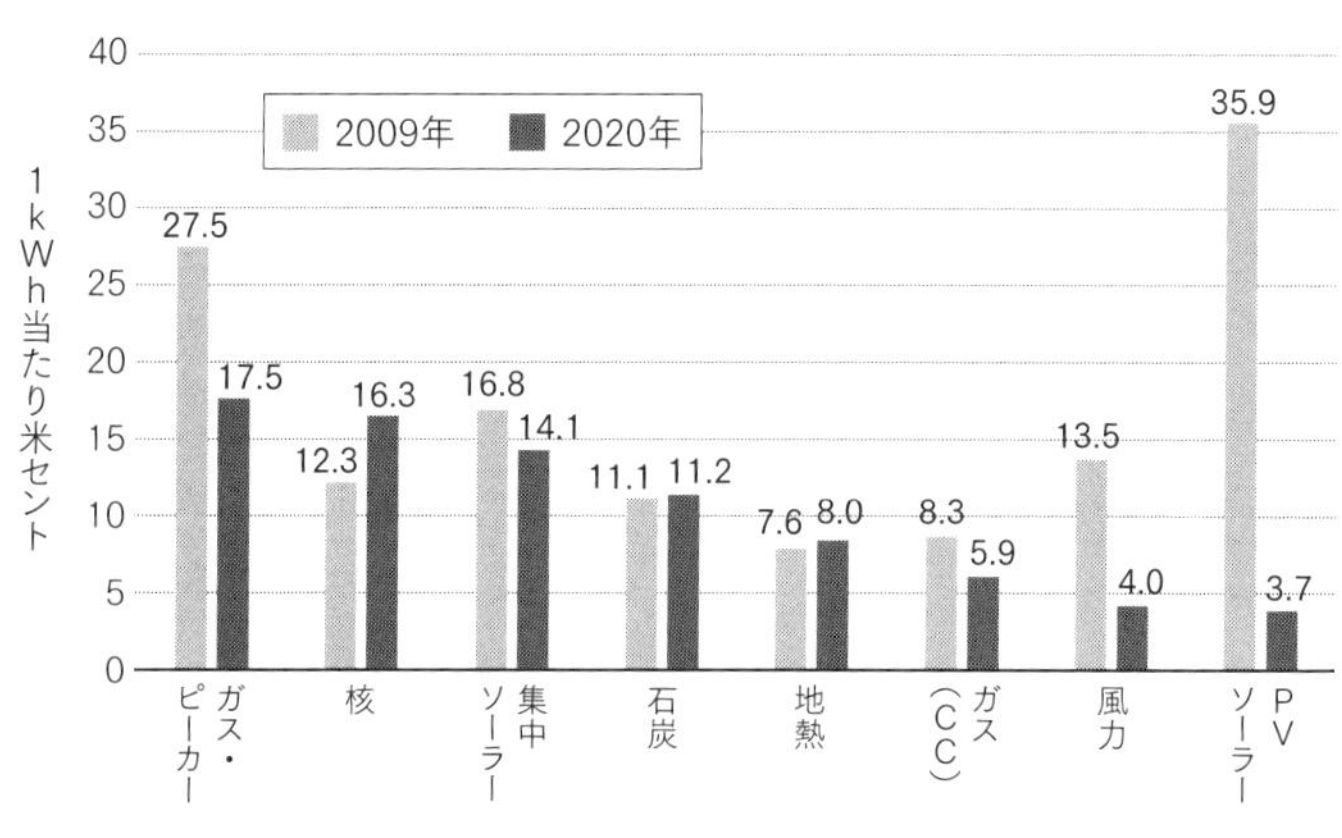

出所：ラザード社。最高値と最低値の平均

発電施設の総原価（資本コスト＋ランニングコスト）を1キロワット時（kWh）に換算して比較しています（図表25）。石炭の発電コストは、2009年は1kWh当たり11・1セントでした（これは、外部不経済である公害が入っていない計算です）。2020年になっても、ほぼ同じです。原発はコストが上がってきました。一方、風力は13・5セントから4・0セントへ、PVソーラー（太陽光パネル発電）は35・9セントから3・7セントになりました。すなわち、**再生可能エネルギーが化石エネルギー、原子力発電より安くなっている**のです。

一方、日本におけるPVソーラーの発電コストは海外に比べて相変わらず高いままです。

経産省の2020年11月の資料によれば、

2020年上半期の世界のPVソーラーの発電コスト5・5円に比べて、日本は13・2円です。これだけの差異が出るのはなぜなのでしょうか。

経産省の説明によると、一つは土地造成費用です。傾斜が厳しいところでソーラーパネルを置くには費用がかかるため、平地の少ない日本では高コストになりがちなのです。

次に、中小建設会社が参入しにくい状況となっており、高いマージンを取る大手ゼネコンが主になっていることです。

さらに、ソーラーパネルを固定する台の設置基準、自然災害、電気主任技術者の不足も高コストの要因です。

しかしながら、この説明には、役所文書によくある「なんでできないか」の本当のところが見え隠れしています。日本国の技術力と創意工夫意識を刺激すれば、克服できるはずなのです。やる気の問題です。

台風にも負けない浮体式洋上風力発電の開発

海外と日本のコスト差を縮小する方法は、いくつか考えられます。日本の国土面積の**約1割を占める所有者不明の土地**を、発電に転用することです。ただし、後日、真の所有者が判明した場合、争いとなるリスクがありますが、政府主導で法律を作り、眠っている土地を活用する方法はあるでしょう。

もう一つは農地の転用ルールを緩くすることです。最近の研究では、農地の上にソーラー発電施設を設置すれば、発電量も収穫量も増加する可能性が確認されています。つまり、外部不経済ではなく、「プラスの外部経済」を達成できる規制改革を行うのです。そのためには、農林水産省と、地方自治体を担当する総務省の協力が必要でしょう。

実は、ソーラーシェアリング協会がこのような農業を進めようとしています。再生可能エネルギーと地方再生を同時に実現する方法です。協会によると、実現するのに一番ハードルになっているのは、各地の農業委員会の手続きだそうです。手続きを合理化すれば、一石二鳥になります。

経産省では、２０３０年にはソーラー発電コストは５・８円まで低下すると見込んでいます。海外との差は依然として残りますが、**十分に化石燃料による発電に勝てる水準**です。世界各国の科学者がＰＶ技術の研究を進めているので、さらに早く、安くなる可能性もあります。

ＰＶソーラーだけではありません。風力も安くなっています。陸上風力だけでなく、洋上風力もあります。日本の場合、海が急に深くなるので海底に直接設置することは難しいのですが、海上に浮かべた構造物を利用する「浮体式洋上風力発電」が有望です。ＩＥＡ（国際エネルギー機関）によれば、日本の洋上風力の潜在容量は、今日本が利用している電力のなんと9倍（！）もあるそうです。

日本の企業がすでに、日本ほど海が荒れず、建設コストが日本ほど高くない台湾、米国、欧州の浮体式洋上風力発電プロジェクトに参加し、経験を重ねています。国内でも、五島列島沖の浮体式洋上風力発電の施設で実際に試しています。

なお、これまで風力発電の課題とされてきた台風に対しては、「クラスＴ」と呼ばれる**台風に耐えうる規格の風車**が開発されてきています。再生可能エネルギーにおいて、第一の教訓である「安いものが勝つ」という条件は、日本人の多くが思っている以上に達成されつつあるのです。

サプライチェーンの問題——水素をどう届けるか

今の日本の、エネルギーサプライチェーンは極めて脆弱です。一次エネルギーの9割は化石エネルギーですが、ほぼ全量を輸入に頼っています。南シナ海の不安定性を考えると、第一次石油ショックによって銀座が真っ暗になったことを決して忘れてはなりません。で

図表26　日本のエネルギーサプライチェーン

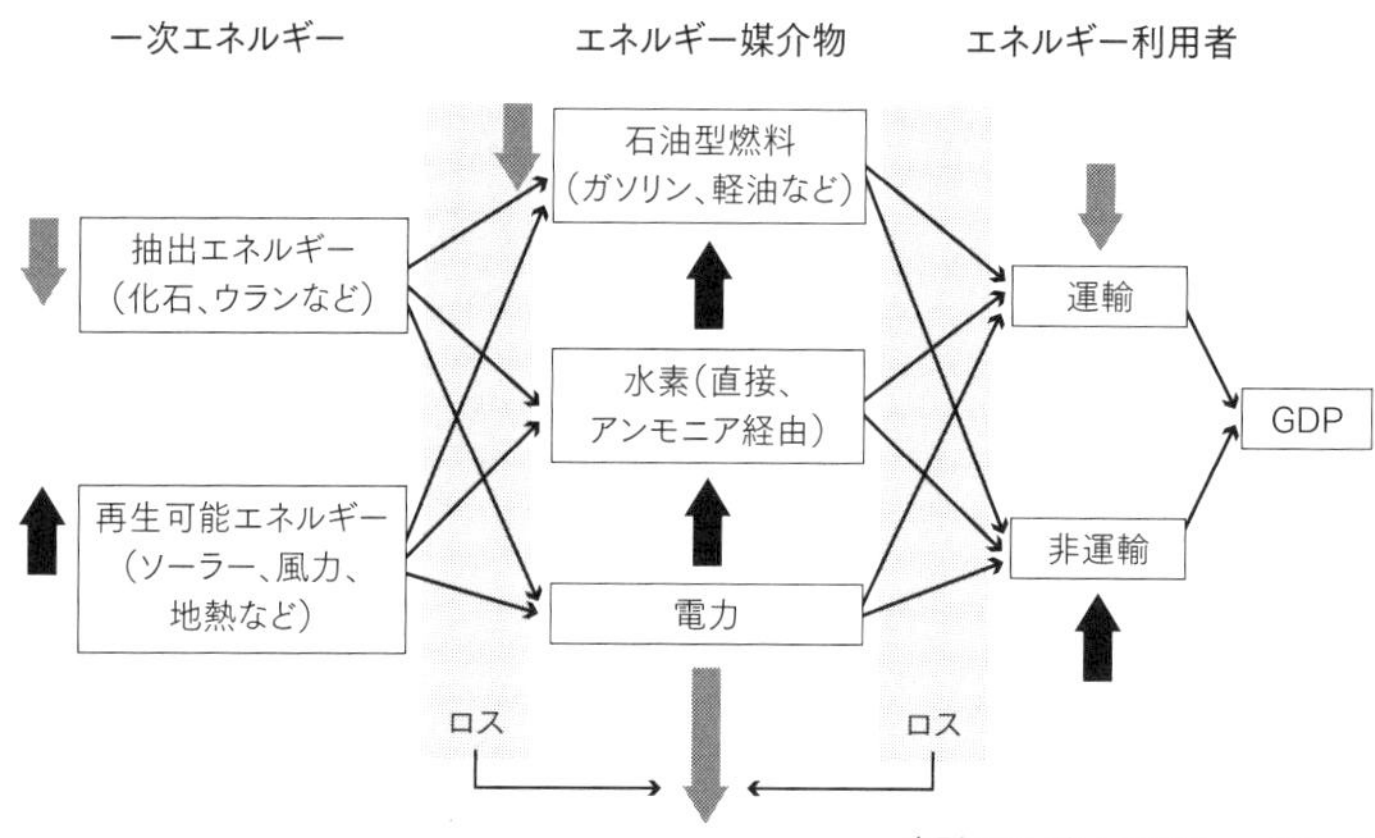

出所：モルガン・スタンレー・リサーチ

は、再生可能エネルギーにはサプライチェーンの問題はないのかと言えば、やはり存在します。図表26を参照してください。

例えば水素です。より正確に言えば、水素はエネルギー源（＝一次エネルギー）ではなく媒介物です。石炭、ソーラーなどの**一次エネルギーを利用して水素を製造**し、エネルギーを利用する場所まで届けないといけません。

日本は諸外国以上に水素に力を入れてきた国ですが、化石燃料を燃やして水素を作るのでは意味がありません。解決策の一つは、再生可能エネルギーが安い国（陽射しが強い中近東、オーストラリアなど）で水素を製造、冷却し、船舶で日本に運んで利用する方法です。もう一つの解決策は、再生可能エネルギーが現段階では比較的高い日本で製造するのですが、運送コストを節約して利用する方法です。前者は総合的に安くても、サプライチェーンが長いので脆弱性もあります。

ここで「技術経営」の話をしましょう。従来型経営では、あまりお金をかけずにサプライチェーンの脆弱性を減らす方法（例えば、エネルギーの場合は石油備蓄あるいは分散供給）を実現しようとしました。しかし、技術経営は、研究開発によってサプライチェーンを短くして安く製造する方法を開発することです。両方とももちろん同時に取り組まないといけませんが、問題は何に注力するかであり、経営判断力が問われるところでしょう。

日本は現在、水素の海外製造と国内製造、両方に取り組んでいます。商社および造船会社では、オーストラリアで石炭を使って作った水素および大規模なソーラー設備で作った水素を、水素供給施設を経て、日本に運んでくる大胆な計画が実現しています。

一方、信州大学などでは「二重ソーラーパネル」を開発しています。二重ソーラーパネルとは、**表に日光が当たり、裏からは水素が出る仕組み**です。実用化に成功すれば、わざわざオーストラリアから水素を運んでくる必要はなくなります。

従来型経営では、既存の技術を利用してものを供給します。技術経営は、より効率的な技術を開発して応用します。日本はここ数年、後者の比重を若干増やしているように感じます。私見では、技術経営の比重を増やした方が経済にとっても安全保障にとっても、日本が優位に立てるのではないかと思っています。

ビックカメラが成功した積極的ＬＥＤの導入

三つ目の教訓「技術をうまく利用すれば利益が出る」について考えてみましょう。

前述のエンパイアステートビルはまさに利益が出る一例になりますが、日本国内の良い例を挙げるとすれば、ビックカメラ社です。ビックカメラ社は数年前から積極的に省エネ戦略を取り入れ、ＬＥＤの導入に特に力を入れています。２０１９年はエネルギー使用量の２・７％の削減、２０２０年は３・８％の削減に成功しました。

もちろん、電力削減と利益はイコールではありません。いくら投資して電力削減がどれくらいできるか、**元が取れるまで何年かかるか**という計算によって利益をはかる必要があります。その点について、栄新テクノ社が試算を発表しています（図表27）。

初期コストはＬＥＤが蛍光灯より２００万円高い。しかし、５年間で計算するとＬＥＤの電気代は月４万９０００円の節約、ランプ代・電球の入れ替えの人件費は月１万６０００円の節約。合わせて１か月当たり６万５０００円の節約になるのです。

つまり、初期費用の差額分２００万円を約２年半で取り戻せます。そして、５年間で約

図表27　技術経営の例：LEDの導入

	初期コスト	電力量（kWh）	電気代	ランプ代	交換人件費	ランニングコスト計
		5年間				
従来店	¥0	214,819	¥4,081,565	¥596,869	¥384,500	¥5,062,934
LED取り換え	¥2,000,000	60,221	¥1,144,195	¥0	¥0	¥1,144,195
差異（従来-LED）	-¥2,000,000	154,598	¥2,937,370	¥596,869	¥384,500	¥3,918,739

出所：栄新テクノ、https://eishin-d.jp/electric/led/kouka/

190万円の得となることがわかります。

もちろん、使い方次第の面もあります。自宅の風呂場のように1日に1時間しか利用しない、あまり明るくしなくてもいい場所なら、蛍光灯の方が合理的な可能性も出てきました。ただし、LED電球の平均単価は、経産省の「生産動態統計」によると、2016年の2200円から2020年の660円に大幅に低下しています。利用時間の短い風呂場などでも、LEDの方が合理的かもしれません。

こう考えると技術経営には派生する教訓があります。儲かるのは**新技術を商品化する会社だけではなく、新商品を利用する会社**もそうです。エンパイアステートビルのオーナーとビックカメラ社がこの教訓を示してくれています。

トヨタ・プリウスはプロダクト・イノベーションの好例

エネルギーに関する技術経営を促進するインセンティブ（動機づけ）は、主に3種類あります。経済インセンティブ、政策インセンティブ、社会インセンティブです。

経済インセンティブは、技術を開発し、利用すれば儲かるということです。まず「プロセス・イノベーション」、これまでやってきたことがより安くできることです。ビックカメラ社の例がプロセス・イノベーションにあたります。

一方、これまでなかった商品を開発できれば、「プロダクト・イノベーション」になります。トヨタ自動車のプリウス、アップル社の iPhone はすぐに思い浮かぶ例です。これらは、民間企業だけでもできることです。

ところで、政策インセンティブには、「ミクロ」と「マクロ」のものがあります。

ミクロの例は、民主党政権下で導入された電力ＦＩＴ（固定価格買取制度）です。制度設計の善悪は別として、**ソーラー発電の起爆剤**になりました。第二次安倍政権時に導入された、研究開発費の更なる損金算入もそうです。規制改革はインセンティブを変えます。

例えば、河野太郎行政改革担当大臣が担当する規制改革の一つに、「再生可能エネルギー等に関する規制等の総点検タスクフォース」があります。

２０２０年12月25日の資料に、「太陽光発電設備など再生可能エネルギーの発電所等の保守点検に必要となる電気主任技術者が、高齢化等により業界全体で人材不足に陥っている。そのため、専任義務や常駐義務、外部委託承認制度における実務経験年数等を緩和して、兼任や遠隔保守等が可能となるように柔軟に保安規制の見直しをすべき」と書かれています。

また、日本全国で問題になっている**耕作放棄の農地を再生可能エネルギー発電に利用すれば、国税をゼロにすることができる**というアイデアもあります。

安倍政権の80％温室効果ガス削減目標

ルールが変われば、経済も変わります。しかしながら、ルールは天から降ってくるものではありません。人間が作るものです。経済状況、技術水準に合わせてルールを更新しないと合理的な成果は得られないのです。

もっとも、既得権益の保護のため、ルールづくりの過程を乗っ取って、自分たちに有利なルールを作らせるロビー活動はどの国にもあります。エネルギーについても、これまで主にルールを作ってきた供給者や当局が、既得権益を守るために自分たちに都合の良いルールを作り、新規参入や新規技術の導入を止めようとするケースが多々あります。こうしたケースをなくさなければ、日本社会全体が大きな損失を被ることになるでしょう。

マクロのインセンティブは政策目標です。日本のエネルギーに関する政策目標は改善されてきています。

2019年6月、安倍政権は環境省から日本で初めて温暖化防止目標を出しました。「最終到達点」としての「脱炭素社会」を掲げ、今世紀後半のできるだけ早期に実現することを目指すとともに、「2050年までに80％の温室効果ガスの削減に大胆に取り組みます」と宣言しました。ただ、ないよりはましですが、この目標には具体性も迫力もありません。

一方、2020年の自民党と公明党の「政策合意」には、「気候変動対策や環境・エネルギーに関する課題への取り組みを加速化させ、エネルギーの安定供給と、持続可能で強靭な脱炭素社会の構築に努める」という文章が入り、初めて**脱炭素社会を目指す合意内容**となりました。その後、二つの驚くべきニュースがありました。

温暖化の死活問題――顧客と雇用を失う

一つは2020年10月26日、菅総理の所信表明演説です。「我が国は、2050年までに、温室効果ガスの排出を全体としてゼロにする、すなわち2050年カーボンニュートラル、脱炭素社会の実現を目指すことを、ここに宣言いたします」。石炭の消費を何とか続けたい業界にとっては寝耳に水でした。

もう一つは、菅総理の2021年4月22日の発言です。「先ほど地球温暖化対策推進本部を開催し、2030年度の削減目標について、2013年度から46%削減することとし」という中身でした。これも、エネルギー担当官庁にとって寝耳に水でした。

この二つの宣言によって、「やるか、やらぬか」の議論から「どうやってやるか」の議論になりました。企業が総理の決めた方向に逆らうなら、**レッテルを貼られ、社会的コストを払う**ことになります。これは社会インセンティブです。

ところで、社会インセンティブはどれだけ強力なのでしょうか。ここで、ESG（Environment, Social, Governance：環境、社会、ガバナンスという三つの観点）、SDGs（Sustainable Development Goals：持続可能な開発目標）の登場です。

温暖化をウォッチする世界中の国民と資産運用者にとって、温暖化を止めることは「価値観」になってきました。面白いことに、コストを負担する産業界、財界、金融界は決して一枚岩ではありません。RE100という企業団体は、世界中から300社以上が参加し、再生可能エネルギーを促しています。

米国から100社が参加しており、次に参加企業が多い国は日本です。RE100の関連団体である「日本気候リーダーズ・パートナーシップ」の正式メンバーは、佐川急便、オリックス、三菱地所、戸田建設など31社、賛助会員は158社です。パブリックパートナーには、外務省が入っています。

顧客にとっても投資家にとっても、温暖化への取り組みは必須課題です。サプライチェーンを100%再生可能エネルギーにしたグローバル企業もあり、日本企業としても、広く**再生可能エネルギーを導入しないと顧客を失う**可能性が出てきました。国内の雇用すら危うくなります。

世界中の資産運用者も、ESG、SDGs基準を達成しない企業には投資しない、という動きを強め、その成果を確認できる会計基準も導入しつつあります。すなわち、経済、政策、社会のインセンティブがそれぞれ変わり、エネルギーの技術経営を促進しているのです。

エネルギー分野の技術経営は、まさに「米百俵」と「三方良し」

アメリカのケンタッキー州に、100年以上の歴史を持つ炭鉱の町であるベンハム市があります。日本で言えば福岡県の三池や北海道の夕張でしょうか。ベンハム市には「ケンタッキー州石炭博物館」があります。アパラチア山脈の石炭産業の歴史を、誇り高く展示する記念すべき場所です。

ところが、数年前に予算が乏しくなり、運営費を減らす必要が生じ、8000～1万ドルを毎年節約できる方法を考えました。屋上にソーラーパネルを設置することです。すでに開発された、より安い技術を導入してコストを削減し、数年以内に元が取れる投資です。第一段階のエネルギー技術経営です。

第二段階のエネルギー技術経営は、いくつかの既存の技術を組み合わせて、新しい結合によってより良い結果を出すことです。スマートグリッド（電力の流れを制御し最適化できる送電網）はその好例です。電気自動車や、エンパイアステートビルがやったこともそうです。

第三段階は、未だ存在しないものの、出来上がれば役に立つ技術を研究・開発し、困った問題の解決策として利用する技術経営です。浮体式洋上風力発電の研究開発、**水素を作るソーラーパネルの開発**、**固体電池の開発**、**核融合技術**などがその事例です。

外部不経済がある商品（すなわち公害など近所迷惑を伴う商品）の場合は、技術経営の必要性が格段に大きくなります。民間と行政が、共同で各段階の技術経営に取り組まないといけません。

一つの例は、化石燃料の炭素含有量に応じて、国などが企業や個人の使用者に課す炭素税です。炭素税の意義と機能は二つあると考えられます。一つ目は経済学では常識です。炭素を排出して人に迷惑をかけないように、**自分の判断で自分の行動を変えていこうという税**です。

もう一つは技術開発です。炭素税は、炭素を出さない技術開発を促進する効果を狙っています。例えば、投資した技術開発によってグリーン水素を安く供給できれば、グリーン鉄鋼を安く製造できます。

売り手は儲かり、買い手も費用削減できます。そして、社会は温暖化を避けることができます。日本の伝統的逸話で言えば、エネルギー分野の技術経営は、「米百俵」と「三方良し」の結合ですね。

参考文献

Brown, Warwick Michael (2003) *The Royal Navy's Fuel Supplies 1898-1939: The Transition from Coal to Oil*, Ph.D. King's College London

小堀聡（２０１０）『日本のエネルギー革命　資源小国の近現代』名古屋大学出版会

Lazard (2020) *Levelized Cost of Energy and Levelized Cost of Storage – 2020*, Lazard

Prentiss, Mara (2015) *Energy Revolution: The Physics and the Promise of Efficient Technology*, Harvard University Press

バーツラフ・シュミル、塩原通緒訳（２０１９）『エネルギーの人類史　上・下』青土社

ダニエル・ヤーギン、伏見威蕃訳（２０１２）『探求　エネルギーの世紀　上・下』日本経済新聞出版社

まとめ

○ソーラー・風力は化石エネルギー・原発より安くなっている

○再生可能エネルギーは「負担」ではなく「投資」

○異常気象の元凶である温暖化は、地球の水の流れを変えてしまう恐るべき外部不経済となる

○エネルギーは作るだけではなく、どう運ぶかが課題。企業はエネルギーのサプライチェーンを再構築するビジネスチャンスがある

○地球温暖化を防ぐ投資が、上質な雇用を生み、企業の存亡を左右する

7章

投資家が重視する「サステナブルファイナンス」とは

50年前に示されていた人類成長の限界

本章では「サステナブルファイナンス（Sustainable Finance）」（以下、ＳＦ）というテーマについてお話しします。サステナブルとは「持続可能な」という意味であり、名詞である「サステティナビリティ」という言葉を耳にする方が多いかもしれません。今や「持続可能な」はグローバルなテーマであり、ＳＦは「持続可能な社会へつながる金融」という意味合いの造語です。

ＳＦそのものは、融資を行う銀行、債券や株に投資をする機関投資家向けの概念ですが、今や**投融資を受ける製造業・サービス業の経営**に極めて大きな影響をもたらしています。

「人間はまことに利口な動物であり、いつの時代、どこの地域でも『豊富なものを沢山使うのは格好が良い』と考える美意識をもち、『不足なものは節約するのが正しいことだ』と信じる倫理観…（中略）…『やさしい情知』をもっている。…（中略）…経済的な意味での需要の価格弾力性をはるかに超えた美意識と倫理観の変化が、ある時点では起るのである」

これは故堺屋太一氏のベストセラー『知価革命』の一節です。歴史研究を通して、時と場所を超えた普遍的な真理の探究を試みた、同氏による「やさしい情知」仮説は、今日でも筆者（加藤）の脳裏に鮮明に残っています。21世紀に生きる私たちは、まさに美意識と倫理観の変化が生じた時代に生きているのではないでしょうか。

日本国内でも、シニアの方には公害の記憶があると思います。昔話で恐縮ですが、筆者は子供の頃、横浜に住んでいました。街の中心部を流れる大岡川という川の近くを通ると、気分が悪くなるほど嫌な臭いがしたものです。日によって川の色がドス黒い紫だったり赤っぽかったり、おそらく上流にある工場が染料の汚水を垂れ流していたのでしょう。

東京と横浜を結ぶ高速道路を走った時には、父からスモッグが入るから窓を閉めるように言われました。川崎周辺だったと思うのですが、見渡す限り煙突だらけですごい勢いで煙を排出していました。高度経済成長の負の側面の一つですね。

１９７２年、ローマ・クラブという民間団体が「成長の限界」と題した報告書を発表しました。この報告書は、地球の生態系は最新の技術をもってしても、２１００年以降は経済と人口の成長を支えることはできないと強調しました。

そして、この惑星（地球）における成長を決定づけ、その相互作業において制約となる五つの基本要因として、第一は人口増加、第二は食糧生産、第三は**非再生可能資源の枯渇**、第四に工業生産、第五に汚染の発生を挙げています。かなり現実味があり、今から50年も前に出された報告とは思えませんね。

SDGs――地球という体系にストレスを与えない

昨今、**17種類のカラフルなアイコン、あるいはドーナッツ形のバッジ**を目にする機会が増えたと感じませんか。これは、2015年に国連で採択された17の「持続可能な開発目標（Sustainable Development Goals）」を表したものです。略して「SDGs」と言えば、ご存知の方も多いでしょう。

ちなみに、「持続可能な開発」とは「地球という体系にストレスを与えることなく、将来の世代のニーズを充たしつつ、現在の世代のニーズをも満足させるような開発」（「ブルントラント報告」、1987年）を意味します。しかしながら、残念なことに企業の情報開示や取り組みを見る限り、一時的な流行語（バズワード）、あるいは単なるスローガンと捉えている方が少なからずおられるように感じられます。

他方、似た脈絡で「ESG」もここ数年語られるようになりました。実は、「ESG」は10年以上の歴史があり、投資家が環境（Environment）・社会（Social）・ガバナンス（Governance）を考慮した投資を行う観点のことです。持続可能な開発を目指す国連の

「ＳＤＧｓ」、および社会を変える「ＥＳＧ」投資には、環境問題（二酸化炭素排出による急激な温暖化、オゾン層の破壊、海洋汚染、生物多様性の危機、砂漠化、森林破壊、天然資源の枯渇……）および社会問題（貧困、飢餓、公衆不衛生、不当な低賃金労働……）に直面して、人間が本来持っている「やさしい情知」が働いているのではないかと筆者は密かに思っています。

ＳＤＧｓおよびＥＳＧについては、すでに多くの本が出版されています。環境問題では、アメリカでベストセラーになった『地球に住めなくなる日』（デイビッド・ウォレス・ウェルズ著、ＮＨＫ出版、２０２０年）があげられます。

「現状のままでは、２０５０年までに１００以上の都市が浸水し、数億人が貧困にあえぐことになる。温暖化がもたらすのは海面の上昇だけではない。殺人的な熱波、大洪水、大気汚染、経済破綻など様々な影響をあたえ、壊滅的な危機へと向かわせる。…（中略）…**北極圏の氷に閉じ込められていた病原菌が、空気中にでてくる**こともあるのだ。もしそれが、過去に人間と接触したことのないものであれば、私たちの免疫システムは戦うすべを持たない」

何とも、恐ろしい世界です。この世界を避けることは、技術経営の責務でもあります。

これからの投融資の基準はどうなるのか

本稿では投融資を受ける製造業とサービス業、特にグローバルに事業展開する企業の立場に立って、銀行や機関投資家は何を考え、どのような基準で投融資を行うようになるのかに焦点を当ててみようと思います。これは、とりわけ製造業にとっては、ビジネスモデルの根幹を揺るがしかねないテーマだからです。

読者の皆さんは、ＳＤＧｓやＥＳＧの考え方は理解できるものの、本来それは政府や地方自治体といった公的セクターの役割ではないのかとの素朴な疑問を持つかもしれません。実際、公的セクターは法規制によって公害を始めとした環境問題に対処することができるし、公衆衛生や児童労働などの社会的課題にも政策的に取り組めるはずです。

確かに環境や社会の課題に対して政策的対応を行う公的セクターの重要性は大きいのですが、足元の課題は**一国内にとどまらず世界規模の対応**が求められています。

ところが、政府の対応には各国の事情や利害が絡みます。ＳＤＧｓの達成のためには、２０１６～２０３０年までに、毎年およそ5兆～7兆ドルという規模の資金が必要との試算があります。日本の政府債務対ＧＤＰ比は突出して高いことが知られていますが、他の先進諸国も余裕はありません。そこで、民間資金の活用に期待が集まったのです。

電気自動車、水素燃料電池車への移行は確実に進む

日本では、2020年秋の「2050年までに温室効果ガス排出量をゼロにする」という菅総理の所信表明演説を契機に、メディアの報道が変わったように思います。

世界に目を向けると、EUのリーダーシップに加え、アメリカがバイデン政権に替わり、イニシアティブを取るようになって流れが加速しています。実際、2021年4月に開催された環境サミットで、アメリカは2030年に2005年比50〜52%減、EUは1990年比55%減、日本は2013年度比46%減を表明しました。

なお、各国の対目標年は、それぞれ1990年以降で最も排出量の多かった年を基準としているので単純比較はできませんが、**日米欧とも温室効果ガス削減の目標を上積み**しています。中国とインドは具体的な数字までは明示していませんが、気候変動に対する危機感は共有しているようです。

問題は、いかにして高い目標をクリアーするかです。これまでの章をお読みいただいた読者ならもうおわかりだと思いますが、キーワードは技術革新です。そのためには研究開発（Research and Development）への投資や速い技術普及が欠かせません。温室効果ガスを排出する原因となる化石燃料の使用、さらに化石燃料によって発電された電気を使って

製造された製品も好ましくないという考え方も出てきています。

前者の例を挙げると、自動車業界では、ガソリン車・ディーゼル車からハイブリッド車・電気自動車へと移行が進んでいます。さらには水素を使用する燃料電池車も実用化されています。電気自動車では、一度の充電でどれだけ走行距離が伸ばせるか、そして普及させるために、バッテリーの価格をどれだけ下げられるかが課題だと言われています。

あるいは、道路面に埋め込んだ送電コイルに電流を流して磁界を作り、**非接触で走行中に給電する**方法も選択肢として考えられます。このアイデアのメリットは、充電にわざわざ時間をかける必要がなく、バッテリーを小型・軽量化することで走行距離も伸ばせることです。ただし、道路へのインフラ投資が必要になります。

どちらの方法をとるにしても、研究開発には費用がかかります。価格・性能、そしてグローバルスタンダードになるかどうかが鍵でしょう。

また、発電事業では、化石燃料を燃やす発電から再生可能エネルギー（太陽光・風力・地熱・潮力）を使った発電へと進みつつあります。間に合うでしょうか。

炭素税・国境炭素税が日本経済にもたらす影響

ここで「カーボンプライシング」という政策を実現する必要があります。日本エネルギー経済研究所（2021年）の「温室効果ガス排出削減のためのカーボンプライシング等の政策手法に関する調査」によれば、炭素税や排出権取引は明示的カーボンプライシング（炭素の排出に応じて価格を付ける政策）、エネルギー税や補助金などは暗示的カーボンプライシング（炭素の削減を促す効果のある政策）というように2分類されます。

炭素税は欧州諸国を中心に1990年代から導入が始まっています。地域や国により異なりますが、徐々に引き上げられているため、**安い化石燃料を使い続けると不利になるような仕組み**となっています。当然、取引される温室効果ガスの排出枠の価格も上がります。こうした動きは欧州諸国で顕著で、とりわけEUは2050年に域内の温室効果ガスを実質ゼロにする目標に向けて、環境対策を強化しています。

それでは、工業製品の輸出国である日本にはどのような影響があるでしょうか。

EUは、環境規制の緩い国で製造された商品に「国境炭素税」を課すことを検討しています。日本で製造した製品そのものが、使用にあたりどれくらい温室効果ガスを発生するかはもちろんですが、炭素税の高いEUに対する日本製の製造コストもその対象です。

EU側の、自分たちは高い炭素税を課されて負担しているのだから、公平な競争条件を確保したいという思惑が透けて見えます。輸出する側としては価格が上昇して競争力が落ちるので困りますが、ＥＵの立場に立ってみれば一つの理屈ではあります。これはマクロ的に国として大きな問題です。

求められる企業レベルでの温室効果ガス排出量の情報開示

また、企業レベルでも、ＩＲ（株主向け広報）において温室効果ガスの排出量の情報開示が求められています。これらは、従前からの財務情報ではなく、非財務情報と呼ばれるものです。こうした非財務要因気候変動リスクの影響を把握するのに使われます。

主要なものでは、気候関連財務情報開示タスクフォース（ＴＣＦＤ）があります。将来の気温上昇について複数のシナリオを設定し、自社の事業や資産にそのシナリオがどう影響するかを検証するというものです。

その他にも、世界にはＶＲＦ（価値報告財団。ＩＩＲＣとＳＡＳＢが合併してできた団体）やＧＲＩ（グローバル・レポーティング・イニシアティブ。アムステルダムに本部を置く非営利団体）など**情報開示の基準やガイドラインをリードする団体**があります。

そうした中で、投資家は企業の選別に動きだしました。二酸化炭素の排出量をコスト換算して財務的な判断をする試みも行われています。「やさしい情知」が直接・間接に働いているのです。

次に、投融資を行う金融の役割について考えてみましょう。

こうした状況の中、金融はどのような役割を期待されているのでしょうか。金融業が主として果たすべき責務とは、最も生産的な用途に資金を配分することです。金融業は持続可能な企業やプロジェクトに投資配分する主導的な役割を演じることによって、低炭素、さらには、より循環型の経済への移行を加速させることができます。

金融（投融資）は経済・社会・環境問題と相互に影響しており、資金配分という役割において、複数ある持続可能な目標間の戦略的意思決定を助けることになるのです。

さらに投資家は、投資先企業に影響力を行使することができます。こうした方法により、長期投資家は企業を**持続可能なビジネスの実践へと向かわせる**こともできるのです。

このように書くと、かつてのＳＲＩ（社会的責任投資）ファンドで苦い経験をした証券関係者や投資家は、頭では理解しても、気が重くなるかもしれません。しかしながら、ＥＳＧ関連で高い評価を受けている企業の業績が比較的良く、危機に際しても株価の戻りが早いなどの実証研究論文が発表されています。また、実際にＥＳＧ銘柄で構成されたファンドが、高い実績を示しているとの報道もあります。

投融資に限ったことではありませんが、先駆者が先鞭をつけ、早期採用者が動きだすと、「バスに乗り遅れまい」とする心理が働くのかもしれません。

川上から川下まで、製造業に求められる3R（循環型社会の実現）

ある企業の意思決定が、他の経済主体（例えば、地域住民）の意思決定に影響を及ぼすことを経済学では「外部性」と言い、良い影響を与えるものを「正の外部性（あるいは外部経済）」、悪い影響を「負の外部性（外部不経済）」と区別します。

前者には、養蜂家が放つミツバチによる受粉の手助け、化石燃料から二酸化炭素を排出しない再生可能エネルギーへの転換、後者の典型的な事例には企業の生産活動による大気汚染や水質汚濁によって発生した公害などが該当します。

自動車製造業のケースで考えてみましょう。自動車を製造するためには、鉄・銅・プラスチックなどの原料・部材（自然資産）をサプライヤーの川上に位置する協力会社から仕入れて、自社で製造を行い、**川下に位置するディーラーを通して顧客に販売**します。

自社の製造工程（プレス・組立など）においては、化石燃料を燃やして発電した電気を使い（二酸化炭素の発生）、廃車時には一定の産業廃棄物が出ます。

また、販売した自動車の燃費水準、温室効果ガスの排出量はどうでしょうか。廃車時には完全循環型社会を意識した「発生抑制・再使用・再資源化（3R）」をクリアーする設計になっているのか、が問われます。

つまり、自社の位置より川上（仕入先）から川下（顧客）までのサプライチェーン全体を視野に入れた取り組みが求められるようになってきたのです。

機関投資家にも浸透する「責任投資」という考え方

株式会社、特に上場企業は不特定多数の株主によって利益を上げ続けることを常に求められますが、他の利害関係者は負の外部性を容認しません。そこで、環境と社会に対する負の外部性を内部化する方法が考えられるようになりました。

主たる参加者としては、①政府・地方自治体（政策による税制・法的規制）、②市民社会（NGO活動）、③投資家（ESG要因を考慮した投資活動）、④企業（追加的コストの売価への転嫁、戦略・ビジネスモデル変革）、⑤消費者（持続可能な商品・サービスの購入や不買）などが挙げられます。このうち、**政府・地方自治体による税制・法的規制**が最も有力な手段と考えられます。

企業は、対策に要するコスト＜税金・罰金という不等式の関係なら、対策を講じる方が経済的には安く済みます。逆の関係なら、喜んで罰金を払うかもしれません。しかしながら、責任投資という考え方が徐々に機関投資家に受け入れられるようになり、投資家（株主）は、企業との対話（エンゲージメント）や議決権行使を通して、企業の意思決定に影響力を持つようになってきました。

「罰金で済ませる」という考え方は通用しなくなっているのです。評判コストもあります。SDGsに取り組んでいない企業は評判が悪化し、優秀な社員の獲得が難しくなります。

ところで、**負の外部性は未だ十分に商品価格に反映されていない**との指摘があります。政策的には、前述した炭素税などによって価格転嫁されれば需要は減り、さらに排出権取引によって自然資源の過剰な使用は抑制され、理想的な循環型社会に近づくという議論です。また、社会的には新興国における低賃金労働・児童労働、先進国における貧困、健康に害を及ぼす酒・タバコなども視野に入れなければなりません。負の外部性は産業・事業活動によって大きく異なっています。

損保会社も動かすタクソノミーという新しい概念

「タクソノミー」とは、もともと生物学において分類を意味する用語で、SFを推進する上では、「持続可能な経済活動であるか否かを分類する基準」のことです。EUは、タクソノミーをSDGs実現のための重要施策として位置付けています。諮問委員会やパブリックコメントなどを経て、2021年4月21日にプレスリリースを公表しました。

その冒頭に、「欧州連合は、持続可能な活動に向けた資金の流れを改善するための野心的で包括的な一連の措置を採択しました。投資家がより持続可能な技術と事業へと投資の方向性を変えることができるようにすることで、2050年までに欧州の気候を中立化させるのに役立つでしょう。これらの措置により、EUは持続可能な資金調達の基準を設定する世界的なリーダーとなるでしょう」と述べています。また、受託者責任について、持続可能性リスクを評価する際の金融会社の義務を明確にしています。

ここまでは、金融とは、銀行による融資と機関投資家による投資で説明してきましたが、実は保険会社もその対象です。例えば、損害保険会社が、タクソノミーを反映させて保険の引き受け可否を判断すると、火力発電所を対象とした投融資はできなくなります。さらに、**火災保険や賠償責任保険などの事業リスクを補償する保険の引き受け**を行わなくなります（損保会社はすでにその方向です）。

これは、火力発電所を運営する側としては、万一事故が発生した場合のヘッジ手段を失うのですから、財務リスクが大きくなることを意味します。リスクが大きくなるということは、ファイナンス論的には割引率が大きくなり、**キャッシュフローが減少する**ので、理論株価も下がります。すなわち、企業価値が棄損するのです。

ところで、ＥＵタクソノミー以外にもタクソノミーはあります。なぜなら、日本経済団体連合会も意見表明したように、各国にはその国の発展段階や地理的条件、エネルギー事情など異なる状況があるからです。

藤井良広氏（上智大学地球環境学研究客員教授）は「国際的な適用にあたっては、気候変動のようなグローバル課題には共通基準を、各国特有の環境・社会課題については、国別基準とする仕分けが考えられます」（日本経済新聞）と述べています。

サステナブルを意識しない企業は取り残される

それでは、ＳＤＧｓを契機としたＳＦの流れはどのようになっていくのでしょうか。図表28をご覧ください。

『サステナブルファイナンス原論』（ディアーク・シューメイカー、ウィアラム・シュローモーダ著、一般社団法人金融財政事情研究会、２０２０年）では、ＳＦの発展段階とし

図表28　SFの発展段階

類型	価値創造	最大化・最適化	時間軸
ファイナンス論	株主価値	財務の最大化	短期
SF 1.0	洗練された株主価値	環境と社会を視野に入れた財務の最大化	短期
SF 2.0	ステークホルダー価値	統合価値の最適化	中期
SF 3.0	共通価値	財務を視野に入れた社会と環境の最適化	長期

出所：シューメイカー・シュローモーダ（2020）『サステナブルファイナンス原論』一般社団法人金融財政事情研究会より作成

て、左から、4段階の類型、どのステークホルダーのための価値創造か、最大化・最適化する対象、時間軸を示しています。これまでの米国流のファイナンス理論では、X軸にリスク、Y軸にリターンの2次元で投資パフォーマンスを評価し、株主価値を最大化することが企業目的でした。一般的な日本人の感覚からすると受け入れ難いものがあるかもしれませんが、法律的には株式会社は株主のものです。

SF1・0になると、X軸とY軸に3軸目のZ軸インパクト（環境や社会にとっての良い影響）が加わります。企業活動は負の外部性の低減によるコスト削減・リスク低減・評判のためであり、**最終目標は依然として利益（株主価値）の最大化**です。

SF2・0になって初めて、企業はX軸、Y軸、Z軸のバランス、すなわち、ステークホルダー全体を意識し、財務・社会・環境の統合価値を最大化しようとします。

ＳＦ３・０の段階に至ると、企業は社会と環境にいかに効果的に貢献できるか（正の外部性）という視点で活動を行います。

ただし、発展段階（仮説）ですが、ＳＦ３・０の投資家は数十年前から存在しました。

一方、10年後もファイナンス論に基づく投資家は残ると思われます。

環境や社会に良いインパクトとは何か

さて、読者が勤務されている会社はどの段階にあるでしょうか。感覚としては日系の上場企業のほとんどは、ＳＦ１・０ではないかと思われます。もちろん、中にはＥＳＧ経営を実践している企業もあり、そうした企業はＳＦ２・０かもしれません。この辺りまでが主流の投資家が投資対象とみる企業群です。

また、新型コロナウイルスの拡大で、世界では**医療機関支援や社会的活動に使途を限定した債券**であるソーシャルボンドの発行が急増しています。

それでは、この図表における最終発展段階となるＳＦ３・０はどうなるでしょうか。この段階での投融資は、実は市場以上の運用成績を期待する金融機関もあれば、元本が返ってくれれば良しとする組織もあり、幅が広いのが実態です。換言すると、未だ定義のコンセンサスがないのです。環境や社会に良いインパクトとはどのようなものなのか。また、その基準は何か、そしてそれをどのように測定するか。その定義は簡単なことではなく、さまざまな試みがなされてきました。

ここで質問です。あなたは、ＳＦ３・０の投資家です。左記テーマにおいて、どのような企画なら投資を検討できるでしょうか。いっしょに考えてみてください。なお、答えは一つではありません。

テーマ１　マラリアで困っている地域があります。

テーマ２　刑務所から出所した人の再犯率を下げたい。

こうした投資活動をグローバルに取りまとめている、グローバル・インパクト・インベスティング・ネットワーク（ＧＩＩＮ）という民間団体があります。２０２１年4月現在、ＧＩＩＮへの投資額は日本円で40兆円を超える規模に急増しており、**潜在的な市場規模は70兆円を超える**と報告されています。

参考文献

加藤晃（２０２０）「『リスク』『リターン』に続く評価軸『インパクト』サステナブルファイナンスとは何か」『企業会計』Vol.72 No.1 中央経済社

加藤晃（２０２１）「サステナブルファイナンスをめぐる規格化の動き」『証券アナリストジャーナル』Vol.59 No.2 公益社団法人日本証券アナリスト協会

堺屋太一（１９８５）『知価革命 工業社会が終わる 知価社会が始まる』ＰＨＰ研究所

Schoenmaker, Dirk & Schramade, Willem (2019) *Principles of Sustainable Finance*, Oxford University Press（加藤晃監訳『サステナブルファイナンス原論』一般社団法人金融財政事情研究会、２０２０年）

Vecchi,Veronica et al. (2016) *Principles and Practice of Impact Investing: A Catalytic Revolution*, Greenleaf Publishing Limited（北川哲雄・加藤晃監訳『社会を変えるインパクト投資』同文舘出版、２０２１年）

Wallace-Wells, David（2019）*The Uninhabitable Earth: Life After Warming*, William Morris Endeavor Entertainment LLC （藤井留美訳『地球に住めなくなる日「気候崩壊」の避けられない真実』ＮＨＫ出版、２０２０年）

グローバル・インパクト・インベスティング・ネットワーク：https://thegiin.org

まとめ

○SDGsを達成するために銀行や投資家を取り込む仕組みづくりが急務。これ以上地球にストレスを与えないために

○金融の役割は、最も生産的な用途に資金を配分することで、社会に良いインパクトを与え続けること

○化石燃料で発電された電気を使って製造されたものは不可——世界はすでにここまで来ている

○タクソノミーは投融資を行う対象を識別する基準であるが、難題・課題も多い

おわりに
自己実現への道しるべ

私たちは、第四次産業革命の入口に立っています。

ＡＩ・ロボットなどの先端技術を活用したＤＸの進展は、多くの雇用を破壊すると同時に、**新しい仕事を創り出す**ことでしょう。グローバル競争を前に、従来型の「一所懸命モデル」は崩壊。日本的雇用慣行は大きく変わると予想されます。

前章までは、キャリア形成の視点から議論しましたが、人生１００年時代、多様な働き方・ライフスタイル（生き方）が許容されるようになってきました。ただし、十分な収入を得つつ、自己実現するためには、必要な知識・スキルのアップデート（リスキリング）が必要です。

自己実現への「４Ｓモデル」

図表29　行動サイクル「4Sモデル」

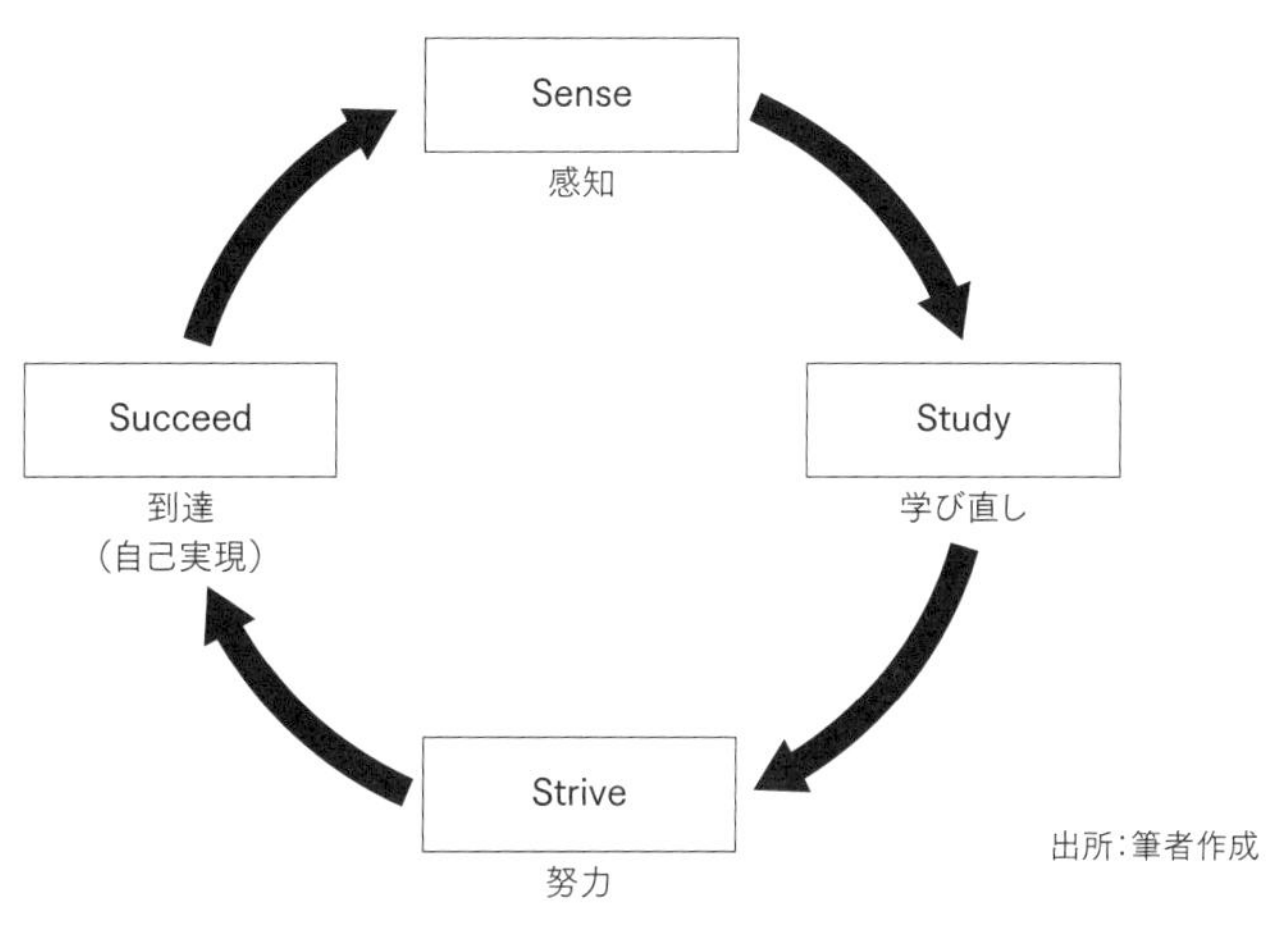

出所：筆者作成

自身を取り巻く環境の変化をいち早く「感知」（Sense）し、必要な「学び直し」（Study）を行い、努力（Strive）することで、到達（Succeed）、すなわち、自己実現につながると考えられます。

図表29をご覧ください。一巡すると新しい課題を「感知」するので、新たな行動サイクルが始まります。人生100年時代、**自己実現に向けて前向きに生きたい**ものですね。そうした一連の行動サイクルの頭文字をとった「4Sモデル」を提案したいと思います。

「学び直し」の選択肢

現代日本においては、「学び直し」の選

択肢は実に多様です。ネット上にあるYouTubeなどのコンテンツの活用は事実上コストが掛かりません。ただし、玉石混淆（ぎょくせきこんこう）です。

書店に行けば、ビジネスの基礎となる簿記・会計やマーケティング、また話題となっているDX、プラットフォーム、リベラルアーツなどの本が並んでいます。実際、優れた書籍もたくさん出版されています。

関心のあるテーマを選んで、時間のある時に独学ができます。筆者（加藤）は、（座れば）通勤電車はMy書斎だと思っています。一方、時間的拘束がないだけに、忙しさに紛れて、モチベーションの維持が課題となることもあるでしょう。

通信教育は、インターネット環境の発達で従前に比べて充実してきています。学士・修士の学位を取得できるコースもあります。ただし、仲間との意見交換の機会は限られます。

海外留学、特にトップスクールは授業内容のみならず、**国際的な人脈形成にもつながる**ことから魅力的だと思います。外国語も上達することでしょう。それだけに、授業料は格段に高く、海外特有の生活費が加わり、なにより個人での挑戦となれば、会社を退職しなければなりません。なお、語学力が十分でないと身につかないという指摘もあります。

他方、国内にも社会人が平日の夕方や週末に通えるMBAなどの修士課程はあります。

図表30　「学び直し」の比較

	学位の取得	費用	時間的拘束	人脈形成	技術経営	備考
独学（ネット）	×	無料	ない	×	-	自由・体系的でない・玉石混淆
独学（書籍）	×	低	ない	×	-	自由なだけに、モチベーション維持が課題
通信教育a	×	低	一部有	×	-	同上・質問ができる・一部通学義務あり
通信教育b	○	低/中	一部有	△	-	同上・体系的なカリキュラム
国内MBA	○	中	ある	○	?	平日夕方・週末に授業・働きながら受講可
海外留学	○	高	ある	○	?	企業派遣以外は、退職しての留学・外国語
理科大MOT	○	中	ある	○	○	平日夕方・週末に授業　＊遠隔併用授業

注：上記は一般的なケースですので、個別に例外はありえます。＊本稿執筆時点

以上、「学び直し」の選択肢は多様で、それぞれ特徴がありますので、メリット・デメリットを踏まえた検討が必要です。どの選択肢をとるにせよ、共通することは、**自分の意志で、自分のお金と自分の時間を、自分自身に投資**するということです。

図表30『「学び直し」の比較』をご覧ください。縦に、学び直しの選択肢、横には考慮すべき項目として、学位の取得、費用、時間的拘束、人脈形成、技術経営、備考を掲載していますので、検討する際の参考にしてください。

「学び直し」の意思決定

次に、どの選択肢を選ぶべきかですが、図

図表31　「学び直し」の意思決定

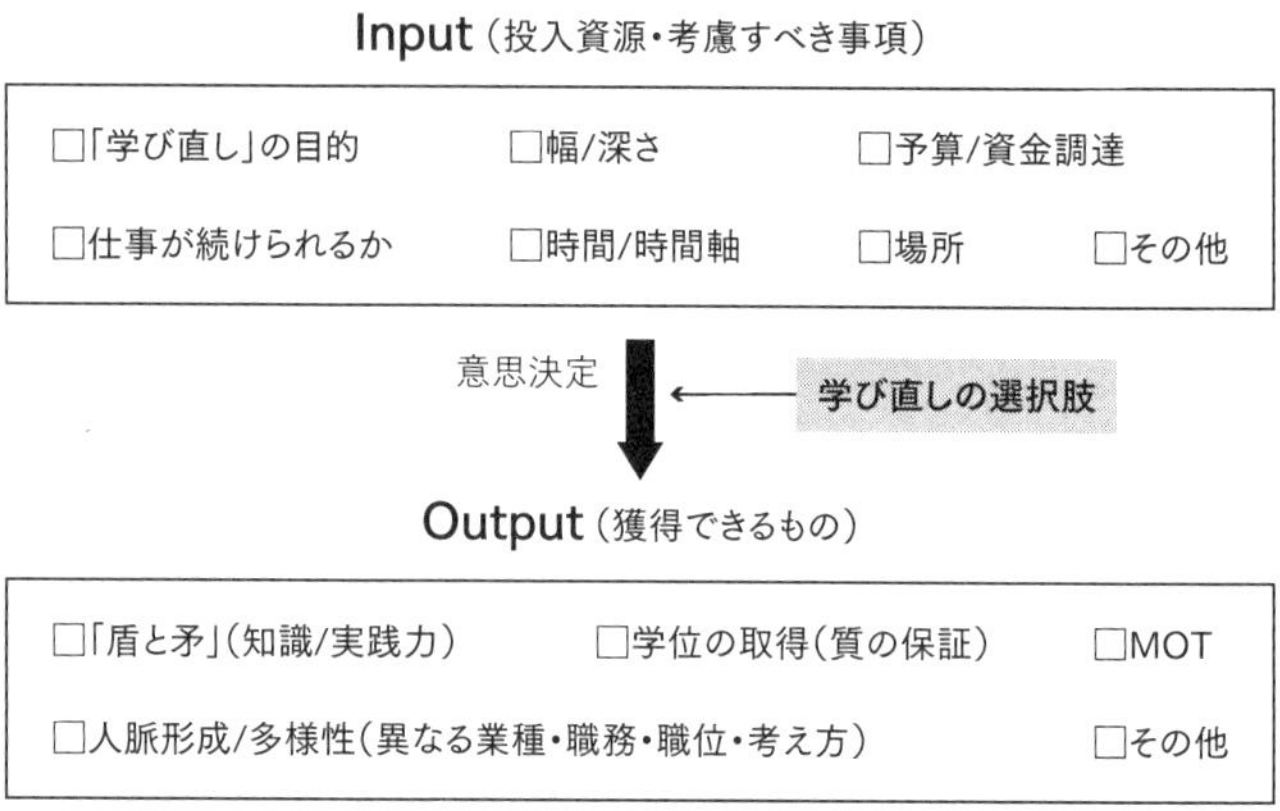

Input（投資入源・考慮すべき事項）

□「学び直し」の目的	□幅/深さ	□予算/資金調達	
□仕事が続けられるか	□時間/時間軸	□場所	□その他

意思決定 ← 学び直しの選択肢

Output（獲得できるもの）

□「盾と矛」（知識/実践力）	□学位の取得（質の保証）	□MOT
□人脈形成/多様性（異なる業種・職務・職位・考え方）		□その他

出所：筆者作成

表31をご覧ください。上段のInputとは、投入する資源と考慮すべき項目です。まずは「学び直し」の目的を明確にしてください。それによって答えは大きく異なり、相応に覚悟も必要となってきます。

幅・深さは、学ぶべき内容（カリキュラム・体系的か）であり、投資効果（質）を問わなければなりません。掛かる費用とその資金調達も要検討です。もっとも、仮に手持ち資金が乏しくても、**低い金利の教育ローン**が活用できるので大きな問題ではないでしょう。

むしろ重要なのは、仕事が続けられるか（収入源の継続性）です。勤務先の文化・雰囲気にもよりますが、上司や同僚の理解が得られるに越したことはありません。

時間とは、1週あるいは1か月あたりの予

習・復習も含めた学習時間です。時間軸とは、終了までに要する期間のことで、通信教育なら2~6か月、大学院（修士）なら2年間です。

ご自身のキャリアプランの時間軸に照らして考えてみてください。通学の場合、場所が意外と大きな要因となります。実際、アフターファイブに大学に通って学び、自宅に戻る場合、会社から大学、大学から自宅の移動時間があまりに長いと負担になるからです。

下段のOutputは、学び直しによって獲得が期待できるものです。本書のテーマであるビジネスパーソンとしての生き残り、キャリアアップに必要な知識・実践力が身に付くかです。学位の取得は、客観的な質の保証となります。自分に自信を持てるようになるでしょう。時代が求めているMOTは文系・理系を問わず、ポイントだと考えています。

筆者の経験では、**人脈形成・多様性が財産**になっています。企業によっては、充実した社内研修があるかと思います。素晴らしいことです。しかしながら、職階別研修などはライバルも同じカリキュラムを公平に受講することから差はつきません。

社会人大学院の場合、異なる業種・職種・職位・性別・年齢帯・国籍……の学生とともに学びます。多様性が重視される時代、会社という柵（しがらみ）から解放され、全く異なる環境で実務を経験してきた人々から吸収できる知識・実践力は得難いものがあります。なお、チェックボックス□を付けていますので、検討する際に活用してください。

筆者二人は、社会人を対象とした「学び直し」に従事しています。

東京理科大学のMOTです。MOTは、1981年に米国マサチューセッツ工科大学のMBAコースの中に設置されたのが始まりと言われています。現代の企業およびビジネスパーソンのニーズを先取りする技術経営を中心に据えたMBAだと理解して頂ければ良いかと思います。

私たちにとって少し意外なのは、MOT受験者のプロフィールを見ると、既にMBAあるいは経営学以外の分野で博士号を取得されている方が何人か含まれているということです。複数回の**学び直しの実践者**ですね。最後に一言、

人生100年時代、「学び直し」に年齢・性別は関係ありません！

まとめ

○第四次産業革命で日本的雇用慣行は変わる

○自己実現への行動サイクル「4S」(感知→学び直し→努力→到達→感知→……)

○学び直しの選択肢は多様、目的を明確に持つ

○MOT(技術経営)は、「学び直し」の有力な選択肢

○「学び直し」は年齢・性別に関係なく、盾にも矛にもなる

著者プロフィール

ロバート・フェルドマン

1970年、米国からAFS交換留学生として初来日、1年間名古屋で過ごした後、イエール大学で経済学／日本研究の学士号、マサチューセッツ工科大学で経済学博士号を取得。1983～89年、国際通貨基金(IMF)でエコノミスト、1990～97年、ソロモン・ブラザーズ・アジア証券会社で首席エコノミストを務める。1998年、モルガン・スタンレー証券株式会社(現:モルガン・スタンレーMUFG証券株式会社)に入社、チーフエコノミストとして2017年まで勤め、その後シニアアドバイザー。2000～20年、「ワールドビジネスサテライト」(テレビ東京系列)にコメンテーターとして出演。書籍出版、雑誌寄稿、講演などの対外活動にも積極的。2017年より東京理科大学大学院経営学研究科技術経営専攻(MOT)にて教授を兼業。

加藤 晃(かとう あきら)

東京理科大学大学院経営学研究科技術経営専攻(MOT)教授。防衛大学校(国際関係論)卒業、青山学院大学で博士(経営管理)を取得。貿易商社、AIU保険会社、愛知産業大学を経て、2020年より現職。経済産業省ISO/TC322国内委員・日本代表エキスパート、ISO/TC207環境ファイナンス関連規格検討委員会委員、日本証券アナリスト協会サステナビリティ報告研究会委員。単著に『CFO視点で考えるリスクファイナンス』(保険毎日新聞社)、共著に『サステナブル経営と資本市場』(日本経済新聞出版社)、『ガバナンス革命の新たなロードマップ』(東洋経済新報社)、監訳書に『サステナブルファイナンス原論』(金融財政事情研究会)、『社会を変えるインパクト投資』(同文舘出版)。

本書に記載された内容は著者の見解であり、東京理科大学など所属する組織の見解ではありません。

盾と矛

2030年大失業時代に備える「学び直し」の新常識

2021年9月15日　第1刷発行

著　者　ロバート・フェルドマン　加藤 晃

発行人　見城 徹

編集人　福島広司

編集者　木田明理

発行所　株式会社 幻冬舎
〒151-0051 東京都渋谷区千駄ヶ谷4-9-7
電話 03(5411)6211(編集)
03(5411)6222(営業)
振替 00120-8-767643

印刷・製本所　株式会社 光邦

検印廃止

Printed in Japan
ISBN978-4-344-03848-6 C0095
幻冬舎ホームページアドレス　https://www.gentosha.co.jp/

この本に関するご意見・ご感想をメールでお寄せいただく場合は、
comment@gentosha.co.jpまで。